Collection S. Fischer

Dagmar Leupold

Edmond:
Geschichte einer Sehnsucht

Roman

S. Fischer

15.–17. Tausend: Mai 1993

Collection S. Fischer
Herausgegeben von Uwe Wittstock

Band 73
Originalausgabe
Veröffentlicht im Fischer Taschenbuch Verlag GmbH,
Frankfurt am Main, August 1992
© 1992 S. Fischer Verlag GmbH, Frankfurt am Main
Umschlaggestaltung: Manfred Walch, Frankfurt am Main
Foto New York: Joseph Pobereskin,
© tony stone worldwide
Satz: Fotosatz Otto Gutfreund GmbH, Darmstadt
Druck und Bindung: Wagner GmbH, Nördlingen
Printed in Germany
ISBN 3-596-22373-3

Inhalt

Anlauf

Mit jeder Stunde, die vergeht, wächst die Wahrscheinlichkeit, daß mein Kind in die Schlagzeilen gerät. Heute ist der letzte Dezembertag des Jahres 1999, die Wehen haben eingesetzt. Noch sind sie zwanzig Minuten voneinander entfernt, nur wenige Sekunden lang und erträglich. Das wird anders werden im Jahr 2000. Der Blumenstrauß für das obligatorische Mutter-Kind-Foto im Lokalteil der Zeitung steht schon bereit. Ich halte mich an den Tasten meines Computers, eines Laptops, fest. Der Bildschirm mit den Zeilen meines Romans, die zu pulsieren scheinen, verschwimmt vor meinen Augen. Ich schaue zum Fenster in das Schneetreiben und auf den Monitor, der den Herzschlag meines Kindes zeigt. Wir atmen und schreiben im Takt. Noch dazu von einer Liebe. Zu einem Mann, den keiner recht mochte.

Edmond war schön, selbst nach Meinung meiner Mutter. Als wäre das wichtig; ist es das nicht? – ich weiß es beim besten Willen nicht. Ich mache mir über alles so viele Gedanken, daß schließlich keine Entscheidung mehr festen Boden unter den Füßen hat. Wie bei einem

Diktat: Klammer auf, Klammer zu, Klammer auf, Klammer zu – so lange bis der Hauptsatz verschwindet. Überhaupt finde ich Interpunktion eher irritierend. Sie scheint Ordnung zu schaffen, und in Wirklichkeit wächst die Ratlosigkeit auch nach dem Semikolon, erreicht den Punkt, wird erstickt. Der nächste Groß-buchstabe räumt auf. Gewiß sind Fragezeichen erlaubt, aber nur gelegentlich, damit auch die Antworten Platz finden. Bei aller Skepsis fehlt es mir dennoch an dem rechten Missionarsgeist und der Portion Fanatismus, die unabdingbar sind, um an Experimente wie das völlige Weglassen von Interpunktion, den Verzicht auf Konjunktionen und auf korrekte Syntax zu glauben. Die Sprache legt uns notfalls auch auf Umwegen her-ein.

Ich füge mich dieser Vorherrschaft der List.

Ich sah Edmond in einem Liegewagen nach Paris zum ersten Mal. Es ist ungewöhnlich, daß man jeman-den zuerst schlafend sieht, dann wach. Vielleicht rührte daher mein Wunsch, mich in ihn zu verlieben, mich einfach – trotz der Enge des Betts – neben ihn zu legen, als wäre seinem Schlaf schon eine lange, gemeinsame Geschichte vorausgegangen. Eine Liebesgeschichte. Das mühsame Füllen der Seiten und Stunden einfach überspringen! Gleich den glatten, schön gestalteten Umschlag des vollendeten Geschehens in der Hand halten. Gar nicht mehr lieben müssen, weil die Liebes-geschichte wie der Igel immer Erster ist.

Während er schlief, erdachte ich schon unseren Roman; an der Grenze hielten wir uns umarmt, erschöpft und heiß (ohne Einzelheiten, wie angenehm). Der Vorsprung, den ich erträumte, verlor sich nie ganz, wie in einem richtigen Buch, wo auch bei schnellstem Blättern die nächste Seite immer schon feststeht.

Edmond kam, wie er mir kurz vor Paris erzählte, aus der Dominikanischen Republik. So sah er auch aus, nicht sehr groß, dunkel, spanisch, nichts hinzuzufügen. Sosehr ich jeden Gedanken auf Unerwartetes abklopfe, die Sätze spielen mir den immer selben Streich: Sie rücken sich ins Glied. Andererseits ist unser Kennenlernen nach allen Regeln der Grammatik verlaufen, so mag es hingehen, daß auch seine Augenfarbe schwarz und seine Brustbehaarung dicht und kraus war. Er hatte einen schönen, lustigen (ich meine lachfreudigen) Mund.

Beeindruckend, wie manche Schriftsteller sich, mit einer Idee ausgestattet, an den Schreibtisch setzen und diese zu einer Mitteilung verflüssigen. Ich möchte nur dieser Geschichte beim Wachsen zuschauen; so wie man Kindern beim Wachsen zuschaut. Und mich, bei aller Planung, von ihrer endgültigen Gestalt überraschen lassen.

Edmond bestellte sich ein Frühstück, ich wollte nur einen Kaffee, den ich, kaum daß er gebracht worden war, verschüttete. Er half mir, mich zu säubern, dabei berührte er meine Brust, und hätte ich es nicht schon alles erdacht, während er noch schlief, hätte ich es genießen können. Es war eine Berührung, die zu seinem Mund paßte. Überhaupt schien er Zweifel nicht zu kennen, schon als er aufgewacht war, hatte er mich angelacht, *Hi!* gesagt, seine Hose über die Boxershorts mit Streifen gezogen, sich zum Zuknöpfen erst weg-, dann mir wieder zugewandt, als hätte er sich unserer Vertrautheit erinnert. Dann gähnte er herzhaft (jetzt weiß ich, warum es überall so genannt wird, herzhaft gähnen, weil er es wirklich tat. Selbst beim besten Willen – denn auch der besteht nur aus Sprache – läßt sich kein anderes Wort abkommandieren, und die Fälle einer solchen Tyrannei häufen sich), knackte mit der Faust der jeweils anderen Hand die Knöchel der freien, rieb sich schließlich die Augen mit der gleichen Unternehmungslust und sagte ein zweites Mal *Hi!* Diesmal antwortete ich und war, schon bevor sie kam, unzufrieden mit der Antwort. Seine Füße waren noch barfuß, auch dies ein Zeichen großer Unbefangenheit, fand ich. Obwohl meine Füße bei Gott nichts Ungewöhnliches haben, fiele mir eine solche Unbeschwertheit nicht im Traum ein. Es ist nicht eigentlich Scham, eher Verdrossenheit, selbst einen solch einfachen Vorgang wie das Schuheanziehen schon im voraus planen und überlegen, bzw. seine Unterlassung rechtfertigen zu müssen. Ich beklage mich übrigens nicht über mangelnde Spontaneität oder Naivität, die gibt es sowenig wie Vollkommenheit. Höchstens über mangelnde Vergeßlichkeit. Mein Gedächtnis sammelt alles, vergleicht, kommentiert, sortiert. Unstillbar hungrig.

Nachdem mein Kaffee verschüttet war, tranken wir seinen gemeinsam. Leider nahm er sehr viel Zucker, und die Süße haftete auf meinen Lippen wie später sein Kuß auf dem Pariser *Gare de l'Est*. Fremd, und doch mußte ich ihn immer wieder kosten, meine ungläubige Zunge schmecken lassen. Ein Kuß im Roman ist anders, bissiger, filmischer.

Ich heiße Edmond, sagte er, als sich unsere Lippen lösten, nach meinem Namen fragte er nicht.

Es ist eine solche Erleichterung zu schreiben, diesen ganzen Vorrat abzuladen, ohne jemandem in die Augen zu schauen. Die Liebe ist viel anstrengender als Satzzeichen und läßt sich, im wirklichen Leben, nicht in handliche Kapitel teilen.

Geborenwerden ist Todesgefahr, sagt Leopardi. (Vorhin wollte ich Kleist zitieren, *Vom Marionettentheater*, aber Bildung ist immer im Weg, wie ein linkischer Tanzschüler, der die Schritte beherrscht, aber vor der Frau Angst hat.) Manchmal glaube ich vielmehr, daß Geborenwerden einfach der Beginn einer Autobiographie ist, geschrieben oder ungeschrieben.

Edmond und ich unterhielten uns beim Frühstück, er hatte Sport in den USA studiert, seine Oberschenkel waren muskulös, wie sich das gehörte für einen *physical education teacher*. Ich berührte sie kurz, als ich ihm einen Zugfahrplan reichte, er hielt meine Hand fest und sagte mir, daß ich hübsch sei. *Alle deutschen Mädchen sind hübsch*, sagte er, als ich schon zufrieden lächelte. Rhetoriker! dachte ich.

Als Teenager ging ich in der Nachbarschaft Kinder hüten, und eine der Mütter schickte mich zu einer Tupper Party. Das war meine erste Begegnung mit Rhetorik. Die Tuppervertreterin hatte ihre Produkte schon kunstvoll auf dem Couchtisch aufgetürmt, so daß nur sehr wenig Platz für die von mir erhofften Salzstangen blieb. Die Hausfrauen saßen entspannt (manche waren nervös wegen der großen, von ihren Männern beanstandeten Ausgabe, die bevorstand) und redeten von Einschlafdisziplin und Saugern. Die Vertreterin wußte in düsteren Farben die Fäulnisprozesse im Kühlschrank bei der Aufbewahrung in herkömmlichen Gefäßen zu schildern (prooimion), ging über zur Umweltschädlichkeit von Einwegverpackungen, die noch unseren Enkelkindern ihre giftigen Gase aus Verbrennungsanlagen in die Gene schleusen würden (agon), und erreichte, sichtbar erschöpft, die Schlußphase: Tupper kittet Ehen, ja stiftet sie sogar, weil einfach alles unwiderstehlich gut schmeckt, lecker aussieht, lange frisch bleibt – ganz wie der Traumpartner (epilogos). Die Gefäße hatten Namen, die man nie vergißt: *fleißiges Lieschen, schöne Müllerin, kleiner Prinz*. Den *kleinen Prinzen* kaufte ich, er ist zum Puddingmachen gedacht, und er brachte mir viele Sympathien bei den gehüteten Kindern. Ich selbst esse auch gerne

Pudding, während meines Literaturstudiums kochte ich mir jeden Tag einen, manchmal erbrach ich ihn, weil ich nicht dick werden wollte, oder weil der jeweilige Mann in meinem Leben abends gut kochen würde.

All das habe ich allerdings auch gelesen.

Edmond legte mein Schweigen wohl als Nachdenklichkeit wegen des halbherzigen, weil zu großzügigen, Kompliments aus. Seine Wiedergutmachung bestand aus dem Vorschlag, Adressen zu tauschen. *Gerne.* Als er schlief, hatte ich seine langen Wimpern bestaunt, jetzt gaben sie seinem Blick etwas Verschattetes. Hatte Edmond Geheimnisse?

Zeichen und Wunder

Schon jetzt, nach wenigen Seiten, gefällt mir der Anfang meines Romans nicht mehr. Aber müssen nicht
auch Geschichten Anlauf nehmen? Irreführend ist er
auch, weil Edmond nicht *die* große Liebe meines Lebens war; *eine* große, das ja. Oder doch *die* große? Als
ich anfing zu schreiben, da ging es mir wie jemandem,
der nach seinem Lieblingsgericht gefragt wird: Ich
wußte es plötzlich nicht mehr, es lag mir auf der
Zunge, andere aber auch, ich hätte sie alle nacheinander
schnell essen müssen, um zu entscheiden. Genauso
geht es mir mit Männern. Und Reisen. Und Filmen,
Büchern, Freunden. Es kann aber auch sein, daß die
Frage falsch ist. Ungerecht sozusagen. Weil auf einmal
alles und jedes einen Rang finden muß, in Windeseile.
Andererseits arbeitet schließlich die Erinnerung nach
demselben Verfahren, verweist alles auf seinen gebüh-
renden Platz (meist bei leichter Bevorzugung des länger Zurückliegenden), ohne sich um Gerechtigkeit zu
scheren. Vielleicht werde ich ihn erst lieben, wenn das
Buch geschrieben ist? So gesehen ist der Anfang vielleicht doch in Ordnung. Im Ton gleicht dies alles dem
Tagebuch der Sally Mara, von Queneau, ich weiß. Ich

14

bewundere, wie er allen das Maul auf die Pointe wäßrig macht, die nie kommt. Ich bewundere überhaupt Absichten, die zum Zuge kommen. Ich bewundere Menschen mit einer Mitte, ruhige, besonnene Menschen wie den Kellner (wahrscheinlich Eigentümer; daß ich es nicht unterscheiden konnte, erklärt bereits, was ich meine) in einem chinesischen Restaurant in New York, der hingebungsvoll gleichgültig seine Arbeit versah. Er war kein Skeptiker, sowenig wie Edmond, der die letzten zwanzig Minuten vor Paris in eine Art Halbschlaf gefallen war und mir dadurch all diese Überlegungen erleichterte.

Ich habe nicht vor, das ganze Buch über zu spotten. Im Gegenteil. Aber wie ein Seiltänzer auf dem Hochseil mit den ungefährlichen Dingen beginnt, bis der erste Angstschweiß getrocknet ist, so halte ich es mit dem Ernst. Das kleine bunte Schirmchen ist immer dabei, selbst beim Abstürzen.

Edmond wohnte in New York, wie aus dem Zettelchen hervorging, das er umständlich aus einem voluminösen Notizbuch gerissen hatte. Er mußte viele Bekannte haben. Auch ich war schon in New York gewesen, hatte sogar mehrere Jahre dort gelebt – vielleicht würde ich mit Edmond dorthin zurückkehren? Er trug ein T-Shirt mit der Aufschrift »Life is a beach«; auf dem »c« war ein großer Marmeladenfleck, verursacht wahrscheinlich durch das Rütteln des Zugs, das mich mit heißem Kaffee bedacht hatte. Eine erneute Mahnung,

Zeichen nicht zu große Bedeutung beizumessen. Kleckse.

Ich gehöre zu den Frauen, die als Mädchen in Julien Sorel verliebt waren. Und in den Helden aus Theodore Dreisers *An American Tragedy*, den Namen habe ich vergessen. Frauen, mit denen ich befreundet bin, teilen diese Lieben; ich frage jede irgendwann einmal danach, das scheint mir nicht dümmer als die Frage nach dem Lieblingsparfum – außerdem mochte ich sie in der Regel schon, bevor ich die Frage stellte, sicheres Indiz dafür, daß man jemand die Bücher ansieht, die er gelesen hat. Man könnte die Leute natürlich auch danach einteilen, wem sie zum Opfer fallen könnten: dem Trickdieb, dem Bigamisten, der Krankenschwester und so weiter.

Aber wen kümmern schon Einteilungen. Wort, Satz, Abschnitt, Seite – übersichtlicher als die Auslage in einer deutschen Metzgerei; ohne Blutvergießen erobert.

Wir waren in Paris. Wie schon erwähnt, küßten wir uns am *Gare de l'Est*, und jetzt, wo ich es zum zweiten Mal erzähle, habe ich Gänsehaut. Er sagte mir, in welchem Hotel er wohnen würde, ich versprach, mich zu melden.

Wenn man von einem Buch verlangen darf, handlich zu sein, dann darf man das vom Leben erst recht erwarten. Ein Leben, im Buch komprimiert, ist tragbar und manchmal erträglich und manchmal einträglich, je nach Leben, je nach Buch. Und wie gerade gesehen, zaubert dazu die Sprache meist noch ihren eigenen Roman: Es fängt mit dem Hasen im rosa Taschentuch an und endet mit der Taube im grünen. Da wird meine Liebe zu Edmond fast unwichtig, obwohl sie, was Sinnlichkeit betraf, einem Buch in nichts nachstand. Edmond wußte Bescheid. Als wir in Paris ein Taxi nahmen (schon einen Tag nach unserem Abschied am Bahnhof), ließ er es große Umwege fahren, so daß die Hauptsache vorbei war, als wir das Hotel erreichten. Ich wußte jetzt, daß die feine Haarnaht, die von seinem Bauchnabel abwärts führte, und von der sich meine Hand hatte leiten lassen wie von einem Gedanken-strich, genauso schwarz war wie die drahtigen Löck-chen auf seiner Brust. Mein Nacken war naß von seinen Küssen.

Wir legten uns auf das breite Bett, nahmen Bier und Salzstangen aus der Bar und schauten uns eine Übertra-gung der *French Open* im Fernsehen an, Edmond in Unterwäsche, ich blieb angezogen. Seine Hand hielt meinen Arm, ich spürte das leise Ticken seiner Arm-banduhr, verläßlich wie sein Herzschlag, der im Taxi allen Straßenlärm übertönt hatte, und schlief ein. Es tut gut, in Hotelzimmern zu sein. Sie nehmen einem jede Furcht, die einem ein beredtes Zimmer einflößen kann, das eigene wie ein fremdes. Lang bewohnte Zimmer werden zu geschwätzigen Zeugen, so wie Bücher mit Widmungen: Letztere überleben erstere, und es ist, als schulde man ihnen zeitlebens besondere Zuneigung. Eine Tätowierung. Wir sind voller Tätowierungen aller Art, zum Anfassen und Nachfragen und zur Vorbeugung von Fragen.

Mir gefiel an Edmond, daß er an Spurensuche nicht interessiert war. Er war kein Leser. Er hatte Schwerkraft, Orientierung und Richtung, er gab mir Gewicht und beendete, wenigstens für eine Zeit, das Gefühl des freien Falls. Frühling mit Edmond, Reisen, ab und zu ein Streit: das Skelett eines normalen Lebens, dem Trennungen und gegenseitige Besuche eine nachvollziehbare Kontur gaben. Ein kostbarer Zustand. Ich setzte ihn aufs Spiel, zugunsten der Beliebigkeit des Papiers, vager Vorhaben, endloser Metamorphosen. Als Kind hatte ich behauptet, daß mein Vorname im Paß rot unterstrichen sei, weil ich adoptiert worden war. Die Lust an der Spiegelung, Spaltung, Vervielfältigung, am Verbergen – wer verspürt sie nicht? Ende der Überlegung, die sicher schon einmal in einem Schulaufsatz stand.

Nur nichts stauen! hat der Arzt mit besorgtem Blick auf die spitzen Ausbuchtungen der viel zu frühen Wehen auf dem Monitor gemahnt. *Herauszögern!* Ich lasse meinen Gedanken und Fingern also gehorsam freien Lauf:

Rätsel sind verpönt, Allwissenheit noch viel mehr, das Absurde hat sich verabschiedet, das Psychoanalytische und das Dokumentarische haben ihre Schuldigkeit

18

getan, und ein junger Autor ist wie ein gesättigtes Molekül, das gegen die Gesetze der Chemie noch einen Passagier aufnehmen möchte: Schmuggelgut. Die Überschreitung der Form ist uninteressant, man ist wieder dazu übergegangen, die Teigreste nach dem Ausstechen wegzuwerfen (eine Zeitlang warf man das Ausgestochene weg). *Variatio delectat.* Der Ruf nach Lehrern und Propheten wird lauter – und was mache ich? Ich schreibe eine Liebesgeschichte, die im Sande verläuft, über einen Mann, in den sich nicht Heerscharen von halbwüchsigen Mädchen verlieben würden, was später in anderen Büchern nachzulesen wäre und damit einen Sinn hätte. Wer fragt, ist selber schuld.

Lehrer schreiben gewöhnlich in der dritten Person, aus der Vogelperspektive des überschauenden Durchblicks. Man braucht dazu ein solches Gottvertrauen, Selbstvertrauen, Weltvertrauen. Mich bringt jedes Hundebellen von der Bahn ab (sofern es sie gibt). Auch bei Schauspielern gibt es die, die in der ersten und die, die in der dritten Person spielen. Letztere bereiten sich penibel auf jede einzelne Rolle vor, nehmen zu, ab, leben sechs Wochen als Boxer, Taxifahrer, Pizzabäcker (ja, ich meine tatsächlich Robert De Niro), lassen sich den Kopf kahl scheren, Pockennarben eingravieren und ähnliches.

Ich könnte jetzt die Analogie weiterführen – aber ich bin sie schon leid. (Und die Kurven auf dem Wehenschreiber haben sich zu ruhigen Wellen verflacht.) Vielleicht gelingt es mir, in der dritten Person zu schreiben, wenn ich alt bin. Wahrscheinlich bin ich einfach genetisch außerstande, die Welt als rund anzusehen, eine wichtige Bedingung für jemanden, der hauptberuflich Universa entwirft.

Jeder hat so seine Epiphanie; meine war der Buddha im Wald bei Worpswede. Er sitzt auf einem runden Sockel und hält sich mit fleischigen Kinderhänden den runden Bauch fest. Sein Kopf ist nach hinten gebeugt, weil er lacht, als hätte ihn gerade ein kleines Mädchen an seinen nackten Fußsohlen gekitzelt. Seine Knie und Wangen sind hell von den vielen Zärtlichkeiten, die Augen geschlossen, um das Vergnügen voller auszukosten. Ein Buddha, der sich ausschüttet vor Lachen, in einem kleinen deutschen Birkenwald, den nur Verrückte und die Torfbahn regelmäßig besuchen: der Schlüssel zu meinem Geschick, in beiderlei Sinn des Worts. Er hat hunderttausend Namen und Aufgaben: nennt ihn den Schalk im Nacken, den kleinen Mann im Ohr, den Schutzengel, den Regisseur, den Requisiteur, die Muse, den Hanswurst, den Choreograph, den Schatten, den Doppelgänger, das Echo der eigenen Stimme, den Souffleur, den Bauchredner, den Besserwisser und das schlechte Gewissen.

Ohne Götzen keine Bücher und ohne Gespenster auch nicht.

So wie Edmond aufgewachsen ist, müßte *er* eigentlich die Romane schreiben; Wohlstand ist langweilig. In

Haiti, wo seine Familie kurzfristig lebte, ließ Duvalier den Flugplatz schließen, um seinen Ferrari *Testarossa* spazierenzufahren, die Abendnachrichten sprachen davon.

Aber Anekdoten sind gefährlich; Amerikaner sind wild auf sie, *snacks*, weil sie den großen Hunger fürchten. Verständlicherweise.

Als ich aufwachte, hatte Edmond sich geduscht und rasiert, er stand vor dem Spiegel und kämmte sich. Er reichte mir ein Glas Wein, lachte mich an, als wolle er mir Mut zum Aufstehen machen. Er beugte sich nieder, um mich zu küssen. Ein Kußmoment, mein Buddha freute sich. Er mag normale Frauen und Männer. Ein Versuch, Edmond von ihm zu erzählen, scheiterte an seiner bereits genannten Unfähigkeit zu lesen. Gerade diese zieht mich jedoch an ihm an: Bei Seelenverwandtschaften und Zwillingspaaren ist immer so viel Eitelkeit im Spiel, daß es schwierig wird dazuzulernen. Man wirft sich immer nur den gleichen possierlichen Ball zu und freut sich an der Spiegelung der eigenen Bewegung. Edmond dagegen stellte mich oft auf eine harte Probe; Stichwortköder und Losungsworte verfehlten ihre Wirkung, er ließ mich alles bis ins kleinste erklären, er fragte immer wieder *Warum? Warum?* wie ein unbarmherziger Dreijähriger. Es tat mir gut, disziplinierte mich, die Eile ließ nach. Übrigens war das der Hauptgrund für die Ablehnung durch meine Mutter und meine Schwestern – er störte mit seinem ständigen Nachhaken die glatte Dynamik der längst feststehenden Gesprächsverläufe. Aber ich möchte meine Familie aus dem Spiel lassen: Bücher, in denen auf- und abgearbeitet wird, freihals auf Papier erbrochen (Authentizität), habe ich immer als Unverschämtheit empfunden. Wen interessiert schon meine chronische Atemnot? Außer diejenigen, die sie ohnehin kennen. Die Anstrengung des Gestaltens ist das mindeste, das wir schulden. Trümmer einer erfolglosen Anstrengung sind immer noch besser als der zynische Instantschutt. Der Buddha nickt? Mahnt? Bei Predigten hört er nicht hin. Bei Kitsch schon eher. Aber er lächelt immer, und ich habe lange gebraucht, bis ich das Flacherwerden der Grübchen richtig zu deuten wußte. Heute schaut er unzufrieden, ich verdrieße ihn.

Edmond und ich zogen uns an; vermieden es, einander anzusehen. In dem kleinen Bistro ganz in der Nähe des Hotels, in das wir uns zum Abendessen geflüchtet hatten, als ein jähes Gewitter dem Pariser Staub den Garaus machte, saßen wir uns, in anderer Leute Rauchwolken gehüllt, wortkarg gegenüber. Nicht feindlich, aber fern. Wie kommt es, daß der Mann, der uns gestern noch so ansprach, so wärmte, einen Tag später unerreichbar scheint? So sehr, daß die Erinnerung an die gerade vergangene Nähe linkisch macht? Und die Seite sich windet und ausweicht, als wolle sie sich gegen das Geschriebene wehren, und man schließlich im allgemeinen Unglück einander nur noch an der

Hand halten mag; gar nichts mehr sagt. Und die Hand schweigt auch. *Morgen ist alles ganz anders*, sagte ich zu Edmond, und er strich mit dem Finger über meine Nase. Irgendwie ist jener Abend zu Ende gegangen, ereignislos. Meine Lust wahrzunehmen war gebrochen, selbst Mord und Totschlag am Nachbartisch hätten mich nicht aus meiner Lethargie befreit. Edmond schob seinen Ärmel hoch und zeigte auf eine Narbe am Oberarm: *Streifschuß*, sagte er. Ich sah hin; schließlich berührte ich sie. Sie war glatter als die andere Haut, unmerklich vertieft. Auf Edmonds Oberarm lächelte das Grübchen des Buddhas! Es gibt Zeichen!

Unarten

Ein Teil meiner Faszination, was Buchumschläge, erste und letzte Seiten betrifft (mein letzter Satz steht natürlich schon fest), hat mit der derzeitigen sogenannten Gestaltungsschwäche zu tun. Man traut sich einfach nicht mehr mit *Die Straße wand sich in einer sanften Kurve, und dahinter konnte man bereits die Umrisse des Gehöfts erkennen. Wanda war zurückgekehrt* anzufangen oder zu sagen *Nach drei glücklichen Monaten mit Sergeij wußte sich Agatha guter Hoffnung*. Keine Frage des Stils, sondern der Inhalte; man ist zu verunsichert, um eine Schwangerschaft neun Monate dauern zu lassen. Es wird gemutmaßt, daß es an der Erlebnisarmut der Generation liegt, der kein Krieg das Leben in vorher und nachher teilt. Mangels äußerer Ereignisse kramt man im Innersten und so weiter. Verzagung. Kopflast. Herzlast. Oh, Buddha. Bald wird es Bücher geben, die von Frauen geschrieben wurden, die unter PMS (prämenstruellem Syndrom) leiden, und nur von denen gelesen werden, die dasselbe Problem haben. Oder von glatzköpfigen Männern für ebensolche. Zum Schluß schreibt man fürs Spiegelbild. Dabei gehört die Angst, daß es schlecht ist, zum guten Buch dazu. Aber ich habe gut reden; ich arbeite mit Netz: Ich habe ja den Souffleur. Das ist besser als nichts, dennoch ergreift mich manchmal die Furcht, ob ich sein Flüstern auch richtig verstehe. Wenn er mich das Falsche sagen läßt? Mit seinem kleinen Stöckchen eine andere Geschichte dirigiert? Mein Blut in die verkehrte Richtung lenkt? Oder, am schlimmsten, mir diese Fragen übelnimmt? Manchmal füllt er meine Ohren wie große Wunderhörner, und ich weiß nicht wohin mit den Geschichten, die wie zu große Seifenblasen zu platzen drohen. Andere Male hallt nur die Stille wider, auf deren Grund Wörter gleich stummen Fischen lautlos aneinander vorbeischwimmen, mir entgleiten. Dann sind meine Hände feucht von ihrer flüchtigen Berührung, und ich suche Schutz bei Edmond. Meine Losung. Anstatt Bücher über Edmond zu schreiben, könnte man selbstverständlich die deutsche Einheit oder Zwietracht zum Gegenstand wählen, aber die vorhin erwähnte Atemnot ist durchaus meine Lebensmetapher: Mein Atem ist zu kurz für derlei. Ich kann nur in kleinsten Einheiten denken, atomistisch, neutronistisch könnte man das vielleicht nennen. Wobei es belanglos ist, ob dies Symptom oder Diagnose ist; andere mögen ihre weiter reichenden Messer wetzen. Mich interessieren die Muttermale, nicht die Schlachtmäler. Der Blutstropfen an sich. Wie hat er geschmeckt? Wie sah er aus? Daß er für Napoleon vergossen wurde, beschreibt ihn nicht. Schon das bloße Nennen des Namens einer Stadt

25

scheint eine grobe Verallgemeinerung, die alle Einzelheiten sowohl vorausnimmt als auch ersetzt. *New York*. Und die Gerüche nach Schacht und schlechtem Asphalt, nach Kinderurin, Popcorn und verschmortem Teppichboden, die Explosion, wenn die Taxis über die lose verlegten Stahlplatten rasen? Alles inbegriffen. Das spricht eindeutig für Erfindung, die Hauptunart. Alles andere ist Durchpausen.

Im Grunde war es falsch, daß ich am Anfang von Geschichte sprach. Liebesgeschichte. Man kann eigentlich immer nur sagen, was man während einer bestimmten Geschichte gedacht hat, getan hat, ungetan gelassen hat. Es hat nur den Anschein von Vollkommenheit, wenn man den Tagesverlauf, die Nacht, die Jahre, das Altern, den Tod beschreibt. Es bleiben Anziehpuppen. Ohne Tiefe. Die Liebesgeschichte mit Edmond besteht darin, daß mein Ohr anderes vernahm, als wir zusammenwaren; die Welt war edmondisch gefärbt. Eine klimatische Veränderung mit neuen Himmelsfarben. Also müßte man eher von Liebesgemälde sprechen; Edmond gab meinen Gedanken ein neues Licht. Und durch sie wird der Blick auf den Maler frei. Edmond ist der Maler dieses Buches; als ich ihn im Liegewagen schlafen sah, geschah die Übereinkunft, irgendwie. Höchst unbefriedigend für den verwöhnten Leser von Liebesgeschichten, vornehmlich aus dem 19. Jahrhundert, kein Zweifel. Aber was soll ich tun? Edmond war im übrigen der Meinung, daß nur derjenige ein Buch schreiben sollte, der etwas zur Welt zu sagen hat. Wohlgemerkt, zur Welt, nicht nur zum eigenen Platz in ihr. So entsteht die reichlich komische Situation, daß er der Urheber eines Romans ist, den er nicht gutheißen kann. Ich habe nichts zur Welt beizutragen, außer unter Umständen eine weitere Sackgasse im Labyrinth der Irrwege. Aber Irren ist auch eine Tätigkeit, eine Bewegung, eine Wanderung. Ob sie bildet, ist eine andere Frage. Selbst wenn sie es nicht tut, schadet es? Bildung ist schön im geheimen, legt man sie offen, dann meistens als Falle für andere, leichter Bewaffnete. Ich gebe zu, es ist nicht einfach, wenn jedes Wort an ein vorher ausgesprochenes erinnert, die Begeisterung oder Wehmut oder Verzweiflung darüber für sich zu behalten.

Viele Jahre nach unserer Liebesgeschichte (sie liegt jetzt neun Jahre zurück, und eigentlich hat er die Frau schon während unserer Geschichte kennengelernt), hat Edmond eine Frau geheiratet, deren Gefühlskompaß intakt war, unbeirrt eine Richtung anzeigte, mit verläßlicher Leidenschaft. Ich sei wie eine Wüste, hatte er mir einmal gesagt, die mit jedem Sandsturm eine neue Landschaft entwirft, die keine Spur von der vorausgegangenen mehr läßt. Und die Abdrücke des Buddhas, falls er welche hinterläßt, sind unsichtbar für ihn. Wer weiß? Und kommt es nicht in allererster Linie auf den Sand an?

Auf einem unserer Pariser Spaziergänge sahen wir

ein ausrangiertes Klosett am Straßenrand, ein alter Mann saß friedlich darauf und las *Le Monde*, ein kleiner geruchschluckender Duftpilz zu seinen Füßen. Nebenan, in einer Bar, eine Schlägerei unter Nordafrikanern, eine Mutter, die im Vorbeigehen zu ihrem Kind sagt, *Die Dummheit hast du von deinem Vater geerbt.* Und nun?

In meinen Augen hängt dies alles auf unbestimmte Weise zusammen, mehr kann ich nicht bieten. Es war einmal üblich, so zu tun, als klebte irgendein unsichtbarer Schicksalsleim solche und ähnliche Vorfälle für immer und bedeutungsvoll aneinander. Tut mir leid, Edmond, du liest die falschen Bücher. Daß ich nicht mißverstanden werde: Ich war nicht auf der Suche nach einem Leser; darum ist es auch kein Widerspruch, daß ich Edmond ein paar Jahre liebte, der Lust und des Lachens wegen. Ich glaube weder an Freundschaften intellektueller Natur noch an die, wie man so schön sagt, aus dem Bauch heraus. Es ist wie Bleigießen; man gewinnt gemeinsam eine Gestalt, die manchmal taugt und manchmal nicht. Edmond und ich, wir waren wie zwei kräftige Aussagesätze: klar, hungrig, zielstrebig. Mit anderen Männern könnte ich die fragilsten, verschränktesten Nebensatzgehäuse bilden; verschlungen, schwer verständlich, trieblos. Schonzeit, Rekonvaleszenz anstelle von Vitalität: eben ein anderes Buch.

Was wäre das Leben ohne Bücher? Man kann mit ihnen Zeit und Fliegen totschlagen, Männer vergessen und Männer erfinden, die oben genannte Welt verstehen oder noch verwirrender finden – welches andere Stück Holz leistet das schon?

In der folgenden Nacht, auf dem Weg zum Hotel, übermannte uns im *Jardin du Luxembourg* die Lust, und wir schlugen uns ins Gebüsch. Es war eigentlich schon fast Morgen, fünf Uhr ungefähr, und das frühe Licht schimmerte pfirsichfarben auf Edmonds Haut. Er hielt meine Hüften, als wir plötzlich von einem eiskalten Wasserstrahl getroffen wurden. Wir schraken auseinander, gingen in die Hocke und sahen einen städtischen Bediensteten die Parkanlagen pflegen. Wir waren eindeutig ein Teil der Natur. Ich hielt mir nach Buddha-Art den Bauch vor Lachen, Edmond, der nasser war als ich, weil er hinter mir gestanden hatte, fror und sagte: *Jetzt hast du was für dein Buch.* Er wrang die Hose aus und zog sie an, wir setzten uns in die schwache Sonne und sahen den Männern beim Arbeiten zu. Als Edmonds Hose halbwegs trocken war, gingen wir frühstücken. Und wieder verschüttete ich den Kaffee und er die Marmelade. Dem Schicksal und dem Buddha sitzt der Schalk im Nacken. Edmond sagte, daß er sein Leben lang an mich denken würde, wenn er sich bekleckerte.

Bekleckern – was für ein Wort. Es hört sich an, als wäre auch das Wort in einem infantilen Wachstumsstadium stehengeblieben, ganz wie die Tätigkeit, die es bezeichnet. Der Umstand, daß es kein zweites, salonfähigeres gibt, zeigt wieder einmal die Tyrannei der Sprache. Sie erzieht uns zur Sauberkeit, oder wir bleiben sprachlos. Überhaupt sind viele Worte wie eingezäunt, verpachtet gewissermaßen. Beflecken, beispielsweise, gehört ganz unzweifelhaft der Kirche. Beschmutzen den Müttern und Moralpredigern.

Das sind Arten, Wortarten; ich bin für Unarten. Und deshalb zog ich mich nicht um, sondern ging mit meinem Kaffeefleck die *Dame mit dem Einhorn* im *Musée Cluny* besuchen. Auf manchen Gobelins sah sie aus, als wolle sie kichern, prusten, albern sein, vielleicht gefiel ihr der Buddha? Ich kaufte Karten der ganzen Serie und schickte sie, mit identischem Text, an Freunde und Verwandte: Ich selbst las Postkarten nie, und der Zwang, sie schreiben zu müssen, verdarb mir fast den Aufenthalt. An Amerika hat mir immer gefallen, daß diese Probleme im voraus gelöst wurden; es gibt für jede Stimmungslage eine vorformulierte Post-Glückwunsch-Beileid-Entschuldigung-für-Verspätung-für-Migräne- schlechte-Laune-usw.-Karte. Oft werden im voraus Karten verschickt, ohne daß man selbst an Ort und Stelle ist, oder es wird Liebeskummer postalisch erklärt, dessen Grund sich noch nicht ereignet hatte. Ein fortschrittliches Land. Andererseits hat in Amerika, im Unterschied zu Europa, noch jedes Leiden eine Ursache *und* ein Heilmittel. Man verfährt nach dem Prinzip des Exorzismus: Böses raus, Gutes rein.

Nach dem nassen Zwischenfall verspürte Edmond

das Bedürfnis, zum Friseur zu gehen. *Gewaschen sind die Haare ja schon*, spottete er. Ich hatte eher den Eindruck, daß es ein Opfergang war, statt der Kerze in der Kirche. Ich denke das, weil er den ganzen Vormittag mit Büßermiene herumlief, als hätte ihn ein himmlisches Gericht und nicht der Gärtner erwischt. Ich wollte wissen, ob er katholisch erzogen worden sei, aber wie alle Fragen nach seiner Herkunft und Erziehung ließ er auch diese so gut wie unbeantwortet. Ich an seiner Stelle hätte seitenlang Rede und Antwort gestanden!

Ich begleitete ihn also zum Haareschneiden und sah nachdenklich zu, wie der Friseur seine Locken kürzte, bis sie glatt waren. Am Boden sahen sie tatsächlich wie Opfergaben aus, ich hob eine auf und steckte sie in die Hosentasche. Wahrscheinlich hatte ich sie heute früh noch an seinem Nacken liebkost, und jetzt war sie ein totes Pfand, ein Komma in meiner Geschichte. Eines aus dem vielbeschworenen Leben noch dazu.

Der Friseurbesuch hatte Edmond die nötige Zäsur verschafft; er war bester Laune und benahm sich wie ein Operettentenor. Wie benimmt sich ein Operettentenor? Er macht kleine, tänzelnde Schrittchen, greift die Dame seiner Wahl um die schlanke Taille, hebt den leeren Becher und gießt sich das Nichts schwungvoll in den übertrieben weit geöffneten Mund bei stark zurückgeneigtem Kopf, was dem Singen förderlich ist. Wie gut, daß meine Mutter mich zu derartigen Kulturveranstaltungen allmonatlich per Abonnement verpflichtete – wie sonst hätte ich Edmonds bizarres Verhalten deuten können? Die Natur lernt eben auch niemals aus (von der Kunst).

Gleichwohl, es ist ein schweres Geschäft. Während es jedem Kinderlied zum Lob gereicht, unzeitgemäß zu sein – *der Wächter tutet in sein Horn*, zum Beispiel; niemand würde sagen *Polizeisirenen heulten* –, kommt man bei Büchern nicht so leicht davon. Nostalgie hat gefährliche Nachbarn, den Kitsch und die (partielle) Vergeßlichkeit, und man schaut sich ständig über die eigene Schulter, um sicher zu sein, daß der Abstand ausreicht. Der so entstehende Vorsprung ist bei aller Unausweichlichkeit so ermüdend wie unbeliebt, und doch läßt er sich nicht aufhalten. Als ich den Liegewagen betrat, war er schon da.

Da hilft kein Rasten unterm Lindenbaum. Die Linden stehen sowieso meistens in anderer Leute Länder. In Amerika wurde ich oft gefragt, woher ich käme, und ich antwortete: *From Loreley county*. Die wenigsten fanden das belustigend, meistens bekamen sie einen verträumten Gesichtsausdruck, die Germanisten unter ihnen sagten: *Ich weiß nicht, was soll es bedeuten*, die normalen Leute verlangten: *Tell us all about it*. Das Lindenbaum-Syndrom eben. Reisen bringt einen im Grunde nur um die verwunschenen Orte, es ist eine Frage der Tapferkeit, ob man sich dieser Enttäuschung aussetzt. Verläßt man sie, werden sie allerdings durch den Abschied ein bißchen geheimnisvoller, bei der

Rückkehr entzaubert ein ganzes Heer böser Feen die verschleierte Schönheit um so gründlicher. Ich spreche aus Erfahrung, erlesener und erlebter. Die Reise nach Paris war letzlich nichts anderes als der Wunsch nach Erholung von zuviel Wahrheit. Und der Buddha, weise wie er ist, schickte mich in den richtigen Liegewagen.

Ich spüre ein Aufstöhnen, schon wieder! Wo bleibt die Substanz? Was ist das für eine Liebesgeschichte, in der sich nichts tut, kaum Fleisch, kaum Blut, Streit, Versöhnung, Entwicklung, Fortschritt. Nicht mal Politik, aus Frauensicht. Nichts, gar nichts. Mir wird ins Ohr gesagt: Ich erlebte falsch, und das sei gut so. Ich ziehe die Lupe dem Fernglas vor, und wer Landschaften sehen will, der hänge sie sich über die dafür vorgesehene Wohnzimmercouch.

Die Hauptsache war, Edmond auf meiner Seite zu wissen, auch ohne Locken. Auf dem Nachhauseweg, im Taxi, hörten wir es im Radio: Gorbatschow war gestürzt worden. Und sofort werden Konjunktionen, Konjugationen, Deklinationen, Locken und andere Haarspaltereien zu unglaublichem Luxus. Fünfundvierzig Jahre Frieden haben uns sogar aus dem Hunger und der Angst eine Wissenschaft machen lassen. In Amerika hat sich eine Filmwirtschaft daraus entwikkelt. Und dann gibt es auf einmal einen wirklichen Krieg mit Panzern aus Pappmaché, echte Panzer im unwirklichen Krieg, und keiner schert sich mehr um die hilfreichen Kategorien der Literaturstudenten. Was ist primär, was ist sekundär? Mit der Pistole auf der Brust macht man sich immer die falschen Gedanken. *Es hilft nichts*, sagte Edmond und stieg aus, *nur sich fürchten, ist jetzt klug*.

Ein Tag später, und alles ist vorbei wie ein böser Spuk. Der Putsch wird uns eine Flut neuer Bücher bescheren, von Besserwissern und ehrlich Erschrockenen, die ihr Buch hochhalten werden wie der Priester das Kreuz, um den Teufel zu vertreiben. Die Nacht und den ganzen Vormittag hatten wir vor dem Fernseher gesessen und Gerüchten zugehört, uns nicht einmal getraut zu frühstücken. Nicht, daß wir nicht hungrig gewesen wären, aber Verunsicherung und Angst haben auch alberne Züge, wie eben den, daß man sich schämt, einen Alltag zu haben und kleinliche Anliegen und Gelüste. Was am Krieg terrorisiert, ist nicht allein die Vision der Apokalypse und die Todesangst an sich, sondern daß sie, von außen, gewissermaßen auf Knopfdruck ausgelöst werden. Und plötzlich wird man hin- und hergeschubst wie eine Romanfigur.

Irgendwann sind wir vor Übermüdung eingeschlafen. Als wir aufwachten, war es vorüber. Ein schlechter Traum, ein Testlauf für die Endfassung? Ich höre dir zu, Buddha. Wir machten einen Spaziergang aus Sehnsucht nach Normalität oder Läuterung. Für einen Tag waren die Autofahrer geduldiger, die Mütter liebevoller, die Métro sauberer. Ein perverses Gewitter hatte die Luft gereinigt, aber wahrscheinlich täuschte dieser

Eindruck; man wagte bloß nicht mehr so tief zu atmen. Wir setzten uns in ein Straßencafé, tranken vorsichtig ein Glas Wein, der genauso schmeckte wie vorher. Der Krieg ließ nach. Und die Unarten gingen weiter.

Sport

Jeden Tag ging Edmond laufen. Wenn es regnete, machte er im Hotelzimmer eine Stunde Gymnastik, bis sich sein vor Erschöpfung nasses Haar wieder in die gewohnten Locken kringelte. Auf dem T-Shirt zeichnete sich die Linie der Wirbelsäule schweißdunkel ab, als hätte ein unsichtbarer Finger ihn in Hälften geteilt. Die Halsschlagader pulsierte wie der Cursor auf meinem Bildschirm, ein ungeduldiges Pochen auf das Eintreffen des nächsten Worts. Es machte Edmond nichts aus, daß ich ihn bei seinen Übungen studierte, als handele es sich dabei um ein wissenschaftliches Experiment. Er war vollkommen vertieft, im Zwiegespräch mit jeder einzelnen Faser seines Körpers, dessen Hinweisen er zu folgen schien. Rhythmisch, gereimt, geformt und geordnet wie ein Gedicht. Die Folgerichtigkeit, die Harmonie und die Geschlossenheit der Exerzitien beglückten ihn, und ganz wie nach dem Verlesen einer letzten Zeile, hob er am Ende seinen Kopf. Sein Blick traf mein erwartungsvolles Lächeln, wurde verlegen und mündete nach vollzogener Rückkehr in die Welt in ein prosaisches Grinsen. Ich hätte ihn am liebsten auf der Stelle ausgezogen und das Salz geschmeckt, aber Edmond empfand die Situation nicht als erotisch, eher als kathartisch. Er duschte sich mit dem energischsten Strahl, den die Brause hergab, und frottierte sich die Haut rot. In weißen Boxershorts (er trug nichts Buntes, Gestreiftes oder Raffiniertes, nur dunkelblaue Socken) und straff zurückgekämmtem Haar, rasierte er sich vor dem dunstigen Spiegel. Zwei Tage nach dem Putsch hatte Edmond die Welt wieder in die Fugen gerückt, ein Gleichgewicht mit Schweiß und Blut erzwungen, ein turnender Missionar, dessen Seelenmuskeln ihn auch bei schlimmstem Schlingern vor Übelkeit bewahren. Mein Schwindelgefühl hielt an, zu langsam und untrainiert für die Geschwindigkeit der Irren. Und ich lehnte mich gegen Edmond wie an einen Wegweiser Gottes. Durch das Fenster sah man die Seine, gerade fuhr eines dieser furchtbaren Touristenboote vorbei, die mit Tausenden von Watt die Ufer ableuchten, als suchten sie nach einem flüchtigen Ausbrecher. Wenn einen der gewaltige Lichtstrahl traf, fühlte man sich unweigerlich schuldig, durchschaut. Für die Reisenden auf dem Schiff dagegen verwandelte sich Paris in eine Art Live-Fernsehen. Das Praktische daran war natürlich, daß man alles ebenso rasch vergaß wie beim Ausschalten des wirklichen Apparates. Und man kann dabei essen und trinken und mit Landsleuten heimische Zeitungen austauschen, anstatt sich mit der Landessprache abzuplagen. Das Schlimme am Tourismus ist, daß, was ansonsten Gerücht oder Witz geblieben wäre, sich unversehens zu einer Wahrheit verfestigt, mit der gerüstet man den Diaabenden getrost entgegenschauen kann.

Edmond mißverstand mein Seufzen (das dem Buddha galt) und umarmte mich schnell, um die vermeintliche Vernachlässigung wiedergutzumachen. Wenn man die Zeit des Romans mitrechnet, den ich im Zug erdacht hatte, als der Geliebte noch schlief, kennen wir uns schon unendlich lange. Vielleicht war Edmond deshalb so gelassen und blätterte ohne Hast um. Er machte drei Tanzschritte, sagte: *Genug Sport, der Boden ist wieder unter meinen Füßen* und zog sich ein Hemd über. *Nimm mich mit*, rief ich und streckte die Arme aus wie in Seenot. Edmond drohte mit dem Finger, ich hakte mich ein, und er zog mich an Land. Ich beneidete ihn um seinen Sport, weil er ihn nicht betrieb, als könne er damit dem Tod eins auswischen oder, weniger salopp, Leidensvorschuß einhandeln. Er neckte mich oft mit meiner Trägheit, deren Grund er trotz meiner Erläuterung (aus Aberglaube) in meinem mediterranen Temperament vermutete – die Eidechse, die sich nur von dem heißen Stein zum noch heißeren schleppt. *Aber ich habe keinen Tropfen mediterranes Blut in mir!* protestierte ich. *Nur deutsches und slawisches. Kartoffel*, sagte er sanft und mit schlechter Aussprache, und ich: *Achtung, Minen!*, und bevor er mit *Fräulein Sauerkraut* und ähnlichem seinen deutschen Wortschatz vervollständigen konnte, hatte ich endlich meinen Willen und verschloß ihm, der rücklings auf das Bett fiel, mit meinen Lippen den Mund. Mit Edmond bewahrheitete sich die Etymologie des Verführens wie nie zuvor: Es ging nur über Umwege; das schnurstrackse, wortlose Übereinanderherfallen verscheuchte ihn wie ein zu laut angesprochenes, halbzahmes Tier. Die Fußsohlen des Buddhas, sonst dem Kitzeln so zugetan, hatten sich in einem spitzeren Winkel aneinander angenähert, wiewohl das Grübchen unverändert rund und tief war. Er mißbilligte etwas. Vielleicht, daß es mir nicht gelang, Sport zu treiben? Aber ich schrieb sein Buch! Und er spielte sich als Richter auf!

Ich hatte mein eigenes Hotelzimmer aufgegeben, für die Dauer des Aufenthaltes in Paris lebten wir zusammen wie ein längst geformtes Paar, schliefen, weil es kühler wurde, in Unterhemd und Trainingshosen. In jener Nacht erschien der Buddha in meinem Traum, und ich verbat ihm zornig, mich zu richten. Er lachte laut auf: *Ich erinnere dich doch nur an das, was du ohnehin sagen wolltest. Ich bin der Souffleur, nicht der Autor und auch nicht der schlechte Schauspieler. Gefällt dir der Text nicht? Dann lebe anders!* Er entfernte sich mit einer Kußhand. Ich drängte mich an Edmond, der so tief (und gut) schlief, daß es feindlich wirkte. Ich gähnte mißmutig. Wirbelt nicht der Wind aus der falschen Richtung dasselbe Herbstlaub über die schwarzen Trottoirs von Paris? Wer will, kann dessen Tanz ebenso lesen wie die Linien in deiner Hand. Und es besser wissen danach. Gute Nacht.

Am nächsten Morgen war das leichte Gefühl der Kränkung noch nicht ganz verflogen, und in Abwesenheit des Buddhas ließ ich sie Edmond spüren, der sich zu Recht unschuldig fühlte. Dennoch behandelte er mich zuvorkommend und abwartend, so wie man bei bestimmten Wetterlagen Vorsichtsmaßnahmen ergreift. Seine Beherrschung und Vernunft reizten mich noch mehr, und ich riß wütend an den überdimensionierten Zeitungsseiten; während er unbeirrt seinen raumsparend gefalteten Teil mit der einen Hand hielt und mit der anderen seinen *Café au lait* umrührte. Nichts, was sonst Geschichten in Gang hielt und Bücher füllte, schien Edmond zu bewegen: Er hatte keine Angst, mich zu verlieren, keine Eile, mich zu besitzen, keine Fragen an meine Vergangenheit und keine Antworten für die Zukunft. Es gab kein Alphabet, um jemanden wie ihn zu buchstabieren, und es fiel als mein Versagen auf mich zurück. Ich zog an seiner Zeitung wie ein weinendes Kind an den Hosenbeinen des Vaters, und als er sie sinken ließ, drängte ich mich an ihrer Statt in seine Arme. Er hielt mich belustigt fest, mit einer gewissen Distanz, als wolle er mich besser studieren. Schöpfung und Geschöpf. Mein Unmut ließ nach. Selbst ich konnte die Berg-und-Tal-Fahrt (und sie fiel ja wahrhaftig bescheiden genug aus) einer Liebe nicht mehr zum Angelpunkt der Welt erheben. Rechts und links davon gab es hunderterlei heldenlose Worte und wortlose Helden, die zu niemandes Unterhaltung bei-

trugen, einfach nur in ihrer Sprache ruderten und vor-
wärtskamen. Die Beschreibung des Wassers erübrigt
sich sowieso.

Natürlich war ich aus einem bestimmten Grund in
Paris, aber wo hätte die Mitteilung hingepaßt, daß ich
für einen Band Fotomaterial zusammenstellen mußte
und dafür Pariser Archive brauchte? Ganz am Anfang?
Wessen Interesse hätte solch eine Einführung schon
geweckt: namenlose Frau, im Liegewagen, auf Dienst-
reise nach Paris. Hintergrund klebt an den Figuren wie
ein Bühnenbild, jedem neuen Kapitel wird rasch ein
neuer fabriziert, nach und nach werden Umstände aller
Art eingeblendet, dosiert und aufgearbeitet zwecks Pü-
rierung. Ein cremiges Vergnügen.

Ich suche in staubigen Archiven nach Fotos, weil mir
nichts Besseres zum Geldverdienen einfiel. Ich habe
früher Kunstgeschichte und Germanistik studiert. Bin
ich jetzt voller, runder, liebenswerter, die nächste Seite
wert? Ich glaube nicht. Nichts hängt zusammen – außer
den sprichwörtlichen Nachbarskindern, die Blindheit
und Glück füreinander bestimmten und die ihre dia-
mantene Hochzeit im Lokalteil der Zeitung feiern. Ich
bin Anorganiker: Man wird einander mit der Zange
zugereicht wie die heißen Waschlappen im Flugzeug
am Ende einer langen Reise. Dann erfrischt man sich,
ist sich nah, bis die Zange einen wieder abholt. Aus
welchem Grund Edmond sich in Paris aufhielt, wußte
ich selbst bis zum vorletzten Tag nicht; es spielt tatsäch-

lich keine Rolle. Wir sind aus Papier, und ich werde den lächerlichen Versuch der Wiederbelebung gar nicht erst unternehmen. Vor- und Hintergrund sind dieselbe beschriebene (oder bemalte) Fläche, die du in den Händen hältst. Das einzige mögliche Wunder vollziehst du: Wenn du lachst, den Kopf schüttelst und die Stirne faltest. In dem Moment könnten wir dasselbe Wispern vernehmen und uns wie Verbündete am Ohrläppchen fassen. Ich werde Ausschau halten.

Das war eine gewagte Übung am anfangs genannten Hochseil, kopfunter, am seidenen Faden hängend, mit geschlossenem Schirm ins Publikum schauen. Im Stand öffne ich ihn sofort wieder, damit niemand das Blut, das mir in den Kopf geschossen ist, sehen kann. Es rauscht so laut, daß ich nicht einmal sagen kann, ob ihr applaudiert oder nicht. Mag sein, daß der Buddha recht hat. Meine Auffassung von Sport ist tadelnswert. Zu meiner Verteidigung ließe sich einwenden, daß ein Gutteil meiner Liebe zu Edmond darin bestand, von ihm die Schwerkraft lernen zu wollen. Und daß er mich träge nannte, war ein Kompliment. Ich freute mich an seinem Gewicht, das mich wie das Pendel einer Uhr in geordnete und ergiebige Bewegung setzte.

Vom Herbst

Jahreszeiten sind prekär. Da sie in Büchern meist nur die Beilage zu irgendeinem Geschehen sind, wie ein schmückendes, puderzuckerbestäubtes Minzblatt auf dem Dessertteller, vergißt der Autor sie schnell oder schickt die Helden leicht bekleidet in den Schneesturm, der auf der vorangegangenen Seite tobte. Als Romane noch organisch waren, aus einem Stück gehauen, ein ordentliches Stück Braten (seit ich in Bayern lebe, sind meine Metaphern fleischlicher geworden, saftiger), geschah das natürlich nicht. Hochzeit im Frühjahr, Ernte und Geburt im Herbst, Tod im November. Jedenfalls auf dem Land. In der Stadt fängt die Verirrung an, Bäume verlieren aus vielerlei Gründen ihre Blätter, Vögel singen nie usf. Eine romantische Lösung des Dilemmas war es, die vorgegebene Jahreszeit als Projektion der Gemütslage des Helden zu instrumentalisieren.

Kurz und gut, alle wissen, was ich meine, es ist oft genug von sämtlichen professionellen Nachdenkern aller Sparten genannt und beschrieben worden.

Es war also Herbst, oder doch fast, Anfang September, als Edmond und ich in Paris waren, und die Straßen rochen nach Walnüssen und Cognac. Die Blätter begannen sich zu färben, und es war nachts deutlich kühler. Ein Abenteuer wie noch vor wenigen Wochen, im *Jardin du Luxembourg*, wäre jetzt unvorstellbar. Das war Sommer, exhibitionistisch und unbeschwert. Bei dem Walnuß-Cognac-Duft sehnte man sich eher nach Federbetten und Geheimnistuerei. Eines Morgens, nach mehreren vergeblichen Versuchen, mit der Kopf-kissenwurst eine befriedigende Stütze zu formen, fragte ich Edmond nach der Streifwunde an seinem Arm. Er schlief noch fast und tastete, als ich davon anfing, sofort nach ihr, als wolle er sicherstellen, daß sie noch da war und nicht durch meine vorlaute Neugier verschwände. Aber relativ bereitwillig gab er preis: *Beim Spielen, auf der Straße, als wir in Port-au-Prince wohnten. Eine Schießerei. Ein Kind starb. Das war der Grund, warum wir nach Hause zurückkehrten.*

Ich habe ein paar Krümel Dreck im Knie, von einem Sturz als Kind in der Königsberger Straße in Oberlahn-stein. Nicht mal eine Schuppe der Loreley. Ein kin-discher Neid erfüllte mich angesichts Edmonds ge-schichtlicher Narbe. Neid auf eine Spur.

Der Buddha war ja mein erworbener Begleiter, ein Findling, ein Adoptivfreund, nicht Geschichte. Ge-schichten ja, aber welch ein Glücksfall, wenn ersteres letzeres hervorbringt. Zyniker (und Herbert Marcuse) könnten das jetzt für ein Plädoyer für den Krieg halten, für Gewalt, die markiert, Konturen und Kostüme verleiht. Aber natürlich meine ich das nicht. Und jedes wirkliche Nachdenken hat Verschwommenheit, nicht Klarheit, zur Folge. Ich argumentiere wie ein Student der Philosophie im Nebenfach, verzeih Buddha, aber du läßt mich ja. Dein Bauch ist vom vielen Zuhören schon ganz dick.

Edmond schlief nicht wieder ein. Er telefonierte, um das Frühstück auf das Zimmer zu bestellen; eine Ange-wohnheit von Spesenreisenden, die mir sehr entgegen-kam. Ich hasse es, mich waschen und anziehen zu müs-sen, bevor ich eine Tasse Kaffee trinke. So lagerten wir in der beschriebenen Nachtkleidung auf dem Bett, sprachen wenig, kehrten manchmal, wenn unsere Stundenpläne es erlaubten, ins Bett zurück, lasen, trö-delten. Ein Privileg der Einsamen, einsame Paare ein-geschlossen.

All diese Freiheit war beinahe unansehnlich. Manch-mal stellte ich mir vor, ich hätte ein Kind mit Edmond. Es würde Zähne bekommen, laufen lernen, sprechen, fallen und die Zähne wieder verlieren, und Zeit wäre endlich eine meßbare Erstreckung, sie hätte einen pral-len, vielleicht eintönigen Umfang. Wenn man aufhört zu wachsen, beginnt das Altern, und die Freude an Veränderungen erlischt – entweder, weil es keine mehr gibt, oder weil es die falschen sind.

Meine liebste Freundin hat zwei Kinder, und ihr gegenüber empfinde ich einen ähnlichen Neid wie bei Edmond mit seiner Narbe. Ihr kleiner Sohn stürzte einmal so unglücklich, daß ein Vorderzahn geradezu heransprang, mit der Wurzel. Es blutete unstillbar, Mutter und Kind waren getränkt mit Blut und Tränen auch des größeren Kindes, das erschrocken beide umklammerte und mitschrie. Ich war nicht dabei, hatte nur von ihr später am Telefon von dem Unfall erfahren. Und doch hat sich die Szene mir eingeprägt, als hätte ich sie erlebt: Sie war vital. Ich träumte sogar davon; ich schritt durch eine riesenhaft klaffende Zahnlücke in die Hölle, von Kinderweinen begleitet, einen dunklen, feuchten Schlund hinab, der süß roch, nach Milch. Und mein Herz schlug aus grenzenloser Liebe zu dem verletzten und mir fast unbekannten Kind, das mich aufnahm.

Für Edmond und mich bedeutete der Herbst vor allem häufige Kinobesuche. Ich kann einen Film nur dann genießen, wenn es dunkel ist beim Hinausgehen und die gerade gesehenen Bilder sich mit den Straßeneindrücken vermischen können. Das ist mein Abspann. Anschließend gingen wir irgendwo essen, rollten den Film im Wiedererzählen noch einmal zu doppelter Länge auf, schwelgten in Übereinstimmung oder versuchten hitzig einander zu bekehren. Es war wie eine vollkommene Sequenz, und nie schien Edmond mir begehrenswerter als im Halbdunkel des Kinos, dann der Straßen, dann des Restaurants, hungrig, weinselig, filmtrunken. Wir fühlten und benahmen uns kurzfristig und leihweise wie die Schauspieler, deren

Gesichter die eigenen glorios überlagerten. Ähnliches geschieht natürlich fortwährend, nur kann man die Projektionen des anderen weder kontrollieren noch nachvollziehen. Edmonds Leben begann aus meiner egozentrischen Sicht mit der Nacht im Liegewagen, und auch wenn ich einsah, wie kindisch diese Betrachtungsweise war, schaffte das sie dennoch nicht ab. Manchmal versuchte ich zu ergründen, wo er mich plaziert hatte; aber wie sollte ich es herausfinden, wenn ich nicht einmal die Distanz der eigenen Armlänge übersah! Und Edmond war sehr sparsam mit Hinweisen, und es war gut so. Die sich gegenseitig von Liebespaaren gelieferten you-are-the-champion-Einordnungen sind wie wiederverwendbare Aufkleber, deren Vorrat nie zur Neige geht.

Aber Kino, besonders schlechtes, macht schwach, und es kam vor, daß wir uns anschließend mit dergleichen Beteuerungen stummküßten, vom Kitsch überwältigt.

Die ersten Herbsttage waren sehr stürmisch. Manchmal ging ich mit Edmond laufen, und das Rauschen, Neigen und Schütteln der riesengroßen Bäume im Wind schien mir wie Beifall für meine Versuche, Bodenfühlung aufzunehmen. Meterlange Äste verbeugten sich geradezu, aufmunternd, Schub verleihend. Kastanien explodierten beim Aufprall aus ihrer Schale, fohlenbraun, duftend, naß von der Geburt. Ich sammelte eine Handvoll und trug sie mit mir in der Bauch-

47

tasche des Sweatshirts. Ihre Glätte verlockte mich immer wieder, hineinzugreifen, dann hielt ich sie lose, während mein Puls raste und die Lungen schmerzten; wog ihre Makellosigkeit mit dem schlechten Gewissen des Täters. Die verlassenen Schalen dunkelten schnell nach, trauernd und überflüssig. Nur der Schmerz blieb ihnen, den ihre ehemals wehrhaft-stachlige und nun überflüssig gewordene Verteidigung der Vollkommenheit hervorrief, und er dörrte sie aus.

Edmond überholte mich. Achtlos trat er auf die noch feuchten Kastanien, die unter seinem Gewicht zu Brei wurden. *Schon müde?* fragte er lachend und nach Luft schnappend. Als mein Gesicht ernst blieb, lief er weiter, ein plötzlicher Windstoß blähte sein Hemd. Ich roch seinen Schweiß, und meine Energie kehrte zurück. Ich beschloß, an mein Buch zu denken, um mich von den peinigenden Seitenstichen abzulenken, und möglichst ohne Pause bis zum Hotel zu laufen. *Halt dich fest*, ordnete ich an, und der Buddha schaukelte vergnügt im Trab. *Dann mal los!*

Neuerdings (oder seit alther?) schreiben Leute, die Bücher schreiben, ständig über das Bücherschreiben. Es hat weniger mit einem Rechtfertigungssog (der aus einem Vakuum entsteht) zu tun als mit der natürlichen Egozentrik des Buches selbst, das entsteht. Es *will* von sich reden. Und interessiert sich nur mäßig für die Geschichte, die es enthält, nicht mehr als für jeden anderen Vorwand, den man hurtig findet, um von sich selbst zu sprechen. Ich befinde mich an dem Punkt, an dem alle Interessen kollidieren: die des Buddhas, des Buchs, der Liebe. Abgesehen von der Schwierigkeit, das Gleichgewicht zu bewahren, die ich schon beschrieben habe, müssen ja auch alle hungrigen Mäuler gestopft werden, und das ist meine Aufgabe. Mit vollen Händen.

Im Sommer war das einfacher, es herrschte eine allgemeine Euphorie, die großzügig von ihrem Übermaß abgab. Auf geheimnisvolle und fruchtbare Weise war dem Buddha zuhören, Edmond lieben und das Buch in Gedanken füllen ein und dasselbe. Jetzt, im Herbst, verstand sich nichts mehr von selbst. Alles zankte, und die Versöhnungen waren ebenso stürmisch wie das Wetter. Ich fühlte mich gleichzeitig mißverstanden, ungeliebt und durch Liebe überfordert. Auch jetzt hing alles noch irgendwie zusammen (Edmond, Buddha, Buch), aber auf unheilvolle Weise, so daß die Unzufriedenheit mit dem einen automatisch Unzufriedenheit mit allen dreien nach sich zog. Das Problem war die Weltlosigkeit, die Welt war abhanden gekommen. Gewiß nicht durch meine Schuld, zuviel der Ehre, aber ich empfand es als meinen Makel, daß ich sie nicht wieder einfangen, an ihr teilhaben oder doch wenigstens sie erfinden konnte. Allein, als Paar und sogar zu dritt waren wir verlorene, verlaufene Existenzen, weit vom Ursprung verstreute Herbstblätter, die um so ratloser angesichts ihrer Freiheit waren, als sie die warme Gemeinschaft am Stamm gar nicht genossen hatten. Es ist nicht die Unüberschaubarkeit der Welt (die war schon immer komplex, auch wenn der geballte Nostalgiewille jeder Generation das zu entkräften sucht), sondern gerade die Überschaubarkeit der Gemeinschaft und gleichzeitige Willkür ihrer Gesetze: wann sie hält, wann sie bricht, was sie hält, was sie bricht. Gäbe es Gestalten in diesem Buch, die durch ihre Herkunft, ihre Gewohnheiten, ihre Beziehungen eine Art Kosmos bildeten, es wäre eine glatte Lüge. Jedenfalls zu diesem Zeitpunkt. Sicherlich, so ein Kosmos ist schnell gezimmert, vor allem ein intellektueller. Die richtige Weinsorte auf dem richtigen Trattoriatisch, ein paar Feindseligkeiten aktueller Natur hier und da eingestreut, Weltkenntnis gepaart mit der Überzeugung, daß es sich nur in bestimmten Regionen der Erde mit Anstand leiden und unverstanden sein läßt, und schon ist der kleine Kosmos fertig. Preziös.

Ich komme mir da geradezu bieder vor. Bieder und schwerfällig und altmodisch wie Edmonds Kleidung, die mit zunehmender Kälte immer eigenwilliger wurde. Er trug ein merkwürdiges Wams aus gefüttertem Leder, schlecht geschnittene Kordhosen, unförmige Pullover. Es würde ihm niemals einfallen, Pullover um die Hüfte zu schlingen oder über die Schulter zu tragen, und seine Hemden waren im Sommer weit aufgeknöpft (wie ich jetzt begriff), weil es heiß war. Das Problem mit den Jahreszeiten schien allein meines zu sein. Eitelkeit wirft einen aus dem Konzept, denn man will allen gefallen, und so muß man wissentlich Zeichen übersehen. Ob das Hitze ist oder die eigene Seele, ist unerheblich. Edmond im Herbst, Jahreszeiten an sich, gute Bücher: Das ist der dreifaltige Widerstand gegen Mode, der Gehorsam gegenüber Zeichen. Edmonds wasserdichte Regenhaut stieß alles ab; ich war wie ein durstiger Schwamm.

Ich habe noch viel zu lernen, auch ohne den Buddha wüßte ich das. Dennoch störte mich Edmonds Gleichgültigkeit, was seine Wirkung auf andere betraf, weil es ausschloß, was mir ebenso wichtig war wie der gerade gelobte Anstand: das Spiel. Spiel ist unanständig. Spiel ist Kopfstand. Es ist die Abschaffung der Jahreszeiten und der Feind der Muskeln. Lug und Trug; die gestohlenen Pferde mit Profit verkaufen, den Muttertag vergessen, Plagiat des eigenen Spiegelbildes, Amen ohne Gott.

Keuchend erreichte ich das Hotel. Edmond erwartete mich, naß, aber entspannt. Als wir uns umarmten, drückten die Kastanien gegen meine Rippen wie eine Mahnung. Ich trat einen Schritt zurück.

Spielkameraden

Mittlerweile ist wohl klar, daß dieses Buch ein vorge-
sagtes Buch ist. Das Universum ist eine Bibliothek,
und sobald man den Mund aufmacht, zitiert man bereits. Wer liest, umgibt sich mit Doppelgängern, Zwil-
lingslieben, Echos. Selbst die Stimme der Mutter erklang schon in Anführungszeichen. Kaum will man in
das Gärtlein gehen, steht das bucklicht Männlein da
und sagt *Please wait*, bevor man weiterschreiben darf,
weil es ein amerikanischer Computer ist. Der Buddha
schafft Ordnung in diesem Chaos, er ist meine bessere,
pragmatische Leserhälfte, bündelt die Stimmen in eine,
klappt manches Buch energischer zu, als mir lieb ist,
und hilft bei der Rechtschreibung. Recht-Schreibung
meine ich, nicht *spell check* meines Computers. Er ist
ein Zeitgenosse, der sich auch von der neuesten Tech-
nologie nicht einschüchtern läßt, auch nicht von abge-
brochenen Liebesgeschichten, buntem Potpourri von
Erinnerungen und falsch zusammengeklebten Seiten.
Er findet rasch (bei der Größe der Bibliothek kein Wunder) neue und haltbarere Wort- und Liebespaare als die
gewählten und reißt die Seite, auf der ohnehin nichts
von Bedeutung stand, einfach heraus. Wenn es nach der

Rezeptionsästhetik ginge, müßten Bücher nur aus weißen Seiten bestehen, Platz da für den Leser. Das weiß der Buddha und könnte es notfalls immer gegen mich verwenden.

Ein junger Krankenpfleger tritt ein und unterbricht meinen Gedankengang. Er teilt mir mit, daß er mich zum Ultraschallraum begleiten wird und schiebt auffordernd den Rollstuhl an meine Bettkante. Er ähnelt dem Klavierlehrer, der mich als Halbwüchsige verführt hat. Er lud mich ein zu Kakao und Torte, und sein Blick haftete auf meinen Lippen, die unter der Sahne und Schwarzwälderkirsch schwollen und sich an der heißen Schokolade verbrannten und so rot wurden, daß er sich weit über den Tisch beugte (die Krawatte leckte von der Sahne), um mich zu küssen, bis der Kaffeegeschmack seines Mundes ganz vertrieben war und nur noch Süße übrigblieb. Danach hatte er es sehr eilig, in sein Auto zu kommen, wo er mich widerspenstig fand, denn mir gefiel nur das gemeinsame Naschen, im Warmen, unter Menschen, mit dem Würfelzucker, der, in Horoskoppapier eingehüllt, einem das Leben vorhersagte. Zwar gelang die Verführung irgendwann, aber ich verachtete ihn wegen seiner Verliebtheit, weil mein Klavierspiel zu stümperhaft war, um mich zu einem verdienten Objekt der Begierde zu machen. Ich wußte wohl (auch damals), daß es für ihn überhaupt keine Rolle spielte, aber eben gerade das brachte mich auf. Auch das schmeichelhafte Gefühl, das Begehrtwerden immer hervorruft, wog meine Geringschätzung nicht auf.

Unglaublich! Gerade wollte ich die Synonyme von *schmeicheln* nachschlagen (oder richtiger gesagt auf dem Computer, dem dezidierten Besserwisser, abrufen; weil auch mir die oben verwandte Formulierung nicht gefällt; wir sind uns einig – schließlich lese ich ja mit), da muß ich feststellen, daß keine aufgeführt werden. *Schmeicheln.* Das Wort für ein Gefühl, das die Welt sicherlich eher in Bewegung setzt als Nächstenliebe, fehlt im Wortschatz des Computerprogramms. Fehlt samt Brüdern und Schwestern. Man will es nicht wahrhaben, Buddha. Auch du, der Einflüsterer, bist nicht unempfänglich dafür. Wenn ich mein Ohr zu dir hinneige, als könne ich es kaum erwarten zu hören, was du zu sagen hast – bist du dann nicht gewillter, fünf gerade sein zu lassen? Und verzeihst mir, daß ich es weitgehend dem Leser überlasse, das Ganze durch Hinzufügen von Brühe genießbar zu machen, und mich mehr dem Brühwürfel, dem Mark widme? Das ist eine Not, und ich verspreche, sie nicht als Tugend zu verkaufen. Die etwas hausbacken geratene Metapher hat dennoch interessante Implikationen; nämlich daß das Nahrhafteste auch gleichzeitig – in Rohform – das Unverträglichste ist. Darf man daraus schließen, daß Bücher, die ungelesen bleiben, unbekömmlich sind, der Gesundheit abträglich? Schön wär's.

Auf der Fahrt ins Krankenhaus, vor zwei Monaten,

im Auto allein, dachte ich an Edmond, Jahre danach, und in dem Moment glitt ein Flugzeug im Landeanflug durch die Dunkelheit. Durch das Plexiglasschiebedach sah es aus wie ein erleuchteter Samthandschuh über eine gespreizte Hand gestreift, die zärtlich die Erde abtastete nach einer weichen Stelle für unser Lager. Und mein Herz ballte sich zur Faust vor Schmerz. So entstand der Wunsch nach einem Buch über Edmond: der Versuch, ein Echo einzufangen, bis es sich wieder zum vollen Laut rundet.

Aber ich wollte von Spielkameraden, Komplizen reden: Auch sie sind nicht leicht zu finden. Anders als Freunde, anders als Geliebte, teilen sie die Lust an der akrobatischen Verrenkung, die das Leben zwischen Stühlen, Seiten und Seitensprüngen verlangt. Sie berechnen ihr eigenes Risiko genau, daher muß man selbst nicht immerzu fürchten, sie zu verletzen. Zynismus ist Umgangston bei Spielkameraden, und ihre Münder sind gewetzt wie scharfe Messer. Sobald man gewiß ist, daß alle gleich bissig sind, entspannt man sich. Anders als Freunde und Geliebte (obgleich natürlich Komplizen auch Geliebte sein können, aber eben keine fernen), müssen Spielkameraden *da* sein, körperlich, man schreibt sich nicht und sehnt sich nicht nacheinander. Das Spiel lebt nur in der Gegenwart, täglich ein neues Feuerwerk, dessen Abbrennen die einzige Art von Müdigkeit hervorruft, der man sich hinzugeben traut. Eine Sucht, die produktiv ist und unterhaltsam

(...*und schrecklich schwer zu dosieren*, soll ich hinzufügen, sagt der Buddha). Vielleicht verlor ich Edmond an eine Überdosis? Dies ist das falsche Kapitel, darüber zu entscheiden, die Wehmut ist ein Spielverderber.

Genauigkeit übrigens auch. Natürlich weiß ich, daß Edmond am Anfang *gestreifte* Boxershorts trägt und ich später behaupte, daß er das nie tut. Das sind die Lizenzen des Spiels: Im Zug hatte es zu ihm gepaßt, danach, als ich seine Ernsthaftigkeit beobachtete, nicht mehr. Auch Augenfarben ändern sich, aus Zorn, aus Liebe, aus Trauer. Und die Buchstaben ändern sich mit, wachsen, schrumpfen, sind stolz oder kleinlaut. Das Buch, das man in der verheißungsvollen Morgensonne liebgewonnen hat, wirft man mit der gleichen Überzeugung Stunden später als schal auf den Müll: Es ist vom falschen Regen naß geworden. So sehr wie es *Ver*lieben gibt, so gibt es auch *Ent*lieben, und unsere Wahrnehmung bestimmt die Farben entsprechend. Das hast du, Leser, alles schon gewußt, das ist mir klar. Aber liegt nicht ein gewisser Genuß im Austauschen von garantiert *nicht* Kontroversem? Zur Erholung? Die Welt ist schließlich komplizierter, als die Organisation in Paare es vermuten läßt, und das ständige Halbachtlaufen ermüdet (das ist Kinderjargon: Man läuft – wie hinkend – mit einem Fuß auf dem Bordstein, mit dem anderen auf der Straße). Zum Schluß hebt man nur noch matt die Hand, um den erschöpften Nachbarn zu grüßen, der mit einem anderen Buch zurückwinkt. Als

56

man noch auf Tafeln schrieb, ließ sich sagen: *Schwamm drüber!* Und heute? *Deckel zu? Bildschirm verdunkeln? Change directory?*

Es ist, als würden alle durch unendliche Kombinationen von unendlichen Alphabeten versuchen, den alles erklärenden Code einzustellen: Wäre er einmal gefunden, sp- rängen unsere Fesseln auf und entließen uns in eine Welt, in der es nichts mehr zu raten gibt, erleuchtet von dem riesigen Autodafé der brennenden falschen Antworten. Aber Rätselfreunde haben nichts zu fürchten, sowenig wie Souffleure: Die Erfindung der Schrift sorgt für genügend Verzweiflung. Mein Großvater, ein arbeitsloser Silberschmied, brachte sich um, weil niemand seine Gedichte las; sein Sohn, mein Vater, erbte die ungelesenen Bücher und fügte andere hinzu, ungeschriebene. Er umgab sich mit Komplizen, die an der gleichen Krankheit litten. Davon wurde sie noch unerträglicher, und man haßte einander wie jemanden, den man bestochen hatte, um ein Alibi zu erhalten. Und das ungeschriebene Buch wurde zu einem Verbrechen, das man selbst durch Schreiben nicht mehr hätte sühnen können.

Mit Edmond war ich entronnen, vielleicht. Der Buddha läßt mich bewußt im unklaren, das ist sein Geschäft, schließlich lebt er vom Spiel. Diesmal hatte Edmond auf mich gewartet.

Silbentrennung

Mein dreimonatiger Aufenthalt in Paris neigte sich dem Ende zu. Edmond hätte noch bis Ende des Monats bleiben können, zog es aber vor, meine (mutige) Einladung anzunehmen und mich nach Deutschland zu begleiten. Zum Abschied gingen wir in ein chinesisches Restaurant, nah dem Panthéon. Ich hatte den ganzen Tag in Archiven verbracht, dann gepackt und war fast ohnmächtig vor Hunger. Wir setzten uns an einen Tisch neben der Heizung; er war mit Paravents von der Küche und den anderen Tischen derselben Reihe getrennt. Nur die Nachbarn zur Rechten konnte man beim Essen beobachten. Um nicht nach ihrem Reisschüsselchen zu greifen, das verlockend dicht am Rand stand, hielt ich mich mit beiden Händen an Edmond fest. Er hatte seinen dicken Wollpullover ausgezogen, und die Haare standen ihm zu Berge. Ich glättete sie lächelnd, wie man das unter Verliebten tut, und er – entsprechend rollenbewußt – wehrte halb verlegen ab.

Ich bin nervös wegen deiner Familie, sagte er.

Aber es ist nur meine Mutter; außerdem bleiben wir nur über das Wochenende.

Ich selbst war nervöser; das Band war so brüchig,

daß es mich allein schon kaum trug. Die eigene Familie ist so beängstigend wie ein Minenlager: Man weiß, jeder Schritt kann fatal oder harmlos sein, und gehen *muß* man, und die Landschaft – Vater Mutter Kind – sieht so friedlich aus, daß niemand die Gefahr ernst nimmt. Jetzt mußte ich noch einen Fremden auf sicheren Wegen einführen und ihn, ohne ihn zu sehr zu beunruhigen, doch wissen lassen, wie wichtig es war, daß er sich vorsah.

Ein besonnener, nicht mehr junger Kellner brachte die Speisekarte. Ohne zu lächeln, legte er sie auf den Tisch und entfernte sich mit einer kaum angedeuteten Neigung des Kopfes. Welche Anmut im Vergleich zu dem vorprogrammierten Redeschwall, der einen in New Yorker Restaurants den Anfang verdirbt: Himynameis Tiffanyihopeyouwillhaveagreattimeandwheneveryou needhelppleasedonothesitatetoletmeknowenjoyyour dinnerourspecialsarelobstersauté... Man ist erschöpft nach diesem Wortguß und schüttelt sich gründlich, bevor man selbst wieder eines auszusprechen wagt. Dieser Pariser-Chinese (wie schon sein erwähnter amerikanischer Bruder) war die personifizierte Würde, und doch nahm er an unserem Eßvergnügen teil. Da wir die ersten Portionen mit tief gebeugtem Kopf in uns hineingelöffelt hatten, schenkte er Suppe nach, als ginge es darum, verlorenes Blut zu ersetzen. Sogar der Wein mußte warten.

Die Suppe war heiß und scharf und füllte einen mit

Zuversicht. Wir hatten auch den Nachschlag mit abenteuerlicher Geschwindigkeit beendet. Wir hoben die Köpfe und schauten uns zufrieden an, als hätten wir ein Tagwerk hinter uns gebracht. Hunger gibt einem immer das Gefühl, verdient zu sein, und ist er einmal gestillt, löst dies eine Euphorie aus, die die Umgebung miteinschließt. So hätte ich am liebsten nicht nur Edmond, sondern auch den Kellner und die Gäste am Nachbartisch umarmt. Ich sagte zu Edmond: *Ich liebe dich sehr,* und meine Zunge blieb intakt. Vorbei die Zeiten, in denen sich Potiphars Frau zum Pfand für das Unaussprechliche ein Stück ihrer Zunge abbeißen mußte (oder ihr zweitausend Seiten Aufschub gewährt wurde): Unsere Lust hält keinen mehr zum Narren. Sie ist da, wird benannt und gestillt, und in der kümmerlichen Kürze ist kein Platz mehr, sich gegenseitig *das Blut anzutragen,* wie Thomas Mann das Romanschreiben auch nennt. Bündig, aber ungebunden liegt man einander in den Armen, und das Erzählen ringt nach Atem.

Zum Nachtisch aßen wir Lychees. Wie pralle Paradiesfrüchte kühlten und ermunterten sie meine strapazierte Zunge. *Ich dich,* sagte Edmond, offenbar gleichermaßen beseelt: *sehr.* Der Kellner schaute uns an. Ein Ausdruck großer Befriedigung lag auf seinem Gesicht, als sei er mit dem Ergebnis seiner Kochkünste höchst einverstanden. Als wir bezahlten, brachte er uns ein Kärtchen mit dem Namen und der Anschrift des Restaurants. Er wünschte uns ganz offensichtlich eine

Wiederholung des Vollkommenen. Mein Portemonnaie ist angefüllt mit solchen Erinnerungen in Form von Kärtchen, ein moderner Zettelkasten, der desolate Geschichten dürftig beisammenhält. Gelegentlich hole ich sie heraus und breite sie auf dem Tisch aus, berühre sie, um durch Magie Momente wiederzubeleben. Manchmal überwältigt die Vergegenwärtigung des Vergangenen mich dermaßen, daß mir das Blut in den Kopf schießt, die Hände zittern, bis sie – da sie leer bleiben – ihn schließlich stützen, damit er es aushält. Schriftzeichen, Unterschriften: Ähnliches vollbringt sonst nur die Musik. Sie überschwemmt jeden Widerstand, noch bevor er sich formieren kann, und reißt einen in ihren Fluten mit, bis man das Vergessene wieder liebt, genauso heftig wie zur Zeit der Gravur. Der Einmeißelung. Kaum verklingt die Melodie, ist die Oberfläche wieder glatt, geschichtslos. Die Kunst des Erzählens besteht wahrscheinlich darin, sich blindlings hinabzutasten, von unsichtbaren Zetteln und stummen Noten geleitet. *Ein langer Weg*, wird mir zugeflüstert.

Edmond legte beim Hinausgehen den Arm um meine Schulter, stieß die Tür mit dem Fuß auf, um mich nicht loszulassen. Sein Pullover kratzte, und ich war dankbar. Es war eine klare Nacht, windig. Der Himmel sah aus wie frisch gefegt, ein gigantischer Laserstrahl deutete nach Norden, ein geheimnisvoller und herrischer Fingerzeig. *Bist du traurig oder froh?* fragte Edmond. *Froh*, sagte ich schluchzend und schloß mit einer umfassenden Armbewegung die Nacht, den Himmel, den Wind ein, meine Knie wurden weich. *Erzähl mir etwas!* bat ich, denn ohne Stütze hätte ich den Heimweg nicht geschafft. Meine Finger fühlten nach dem tröstlichen Papier des Kärtchens.

Wir gingen zu Fuß zum Hotel. In der Rezeption war es stickig, überheizt; meine Ohren glühten von dem scharfen Wind und der plötzlichen Hitze, als hätten sie eine lange Zwiesprache mit dem Buddha hinter sich. Der Teppichboden schluckte alle Geräusche; da wir den Schlüssel immer mitnahmen, fiel uns die Abwesenheit des Nachtportiers kaum auf. Unsere Zimmertür war nur angelehnt, das Schloß beschädigt. Edmond schob mich zur Seite und hielt mein Handgelenk. Mit seiner freien Hand öffnete er die Tür behutsam, machte einen halben Schritt und blieb sofort wieder stehen. Ich drängte mich neben ihn: Ein Mann und eine Frau lagen auf dem Bett, der Mann nur mit dem Oberkörper. Er hatte eine Gummischlinge um den Arm, sie um das Bein. Die Spritze, halbvoll mit Blut, hing von einem winzigen Hautstück gehalten oberhalb ihres Knöchels. Beide richteten ihre geöffneten Augen auf den dröhnenden Fernsehapparat, der unerbittlich Werbung ausspie, als wolle er die besondere Passivität seiner Zuschauer nicht ungenützt vorübergehen lassen. Ich schaltete ihn aus, kalt vor Grauen und meiner Schritte nicht mehr mächtig, stolperte ich dabei über die ausgestreckten Beine des Mannes, dessen Lage sich dadurch so veränderte, daß es aussah, als würde er auf Knien die Frau auf dem Altar anbeten. Das Zimmer war durchwühlt, Edmonds Paß lag auf dem Boden, meinen sah ich nicht. Ich ließ mich in die Hocke nieder, unfähig, das Geschehene von oben zu begreifen. Edmond fühlte den beiden die Halsschlagader, *Sie sind tot*, sagte er, und ich biß mir auf die Zunge, bis ich Blut schmeckte.

Es war etwas passiert, das laut Statistiken zweieinhalbmal wöchentlich in jeder mittelgroßen Stadt passiert. In unserem Bett: kleine, rote Blutflecken im fast unberührten Bett – als hätte die Frau ihre Keuschheit verloren und die letzte gefunden. Sie war schön, schmal, trug ein weißes Männerhemd und weite, dunkle Hosen, lichtes Haar: ein Engel. Ein Engel, dessen Ankunft ich nicht deuten konnte. Ein Geschehen, dessen Ursachen so erforscht wie voraussehbar sind, ein gewöhnlicher Vorfall, und wir sind bis zum Stillstand genarrt. Edmond hatte sich neben die Frau auf das Bett gesetzt und ihre Tasche geöffnet. Mein Paß war darin. Unsere Geschwister – ein Gedankenstrich ohne Fortsetzung, ein Blutstropfen als letzter Punkt. Wir saßen still, bis die Polizei eintraf.

Sie erlaubte uns nicht, in dem Zimmer zu bleiben, und so trauerten wir in einer Luxusausgabe unseres vorherigen Raums um unsere Doppelgänger. Beim Heraustragen der Toten hatte ich das Kettchen gesehen, das die Frau um den Knöchel trug, auf dem Anhänger stand *Leila*.

An diesem Abend erzählte mir Edmond, wie er als Kind viele hundert Male ähnliche Szenen gesehen hätte, weil sein Vater ein Beerdigungsinstitut führte. *Deshalb sind wir nach Haiti gezogen*, fügte er hinzu, *mehr Tote, mehr Arbeit.* Sicherlich zuviel, um Trauerhilfe anzubieten und siliconverschönte Leichen, dachte ich und weinte mich in Edmonds Armen in den Schlaf. Traumlos, pointenlos.

Wie nah der Tod ist: Ein kleiner Einstich, eine winzige Menge irgendeiner Substanz, und er ist da. Oder eine falsche Bewegung, ein kleines Äderchen platzt, überschwemmt das ganze Gehirn, und er ist da. Eine Sekunde zu früh von zu Hause losgefahren, und man trifft auf den Amokfahrer, der sich gejagt fühlt und die rote Ampel im Fliegen nimmt. Und er ist da. So nah wie der Mund des Buddhas an meinem Ohr, dessen feine Härchen sich aufrichten, wenn sie seine Stimme vernehmen als wunderbares Lebenszeichen. Die fidelen Toten aus Dostojewskis *Dämonen* haben mich nie überzeugt. Ich finde den Tod so niederschmetternd, daß es schwer wird, die Hand wieder zu heben, zum Gruß, zur Liebkosung, zum Schreiben. Gleichwohl ist seine Nähe, seine Präsenz vital, zwiespältig wie Feuer. Ich würde ihn zu den Elementen dazuzählen – und alle fünf sind Leben.

Unser letztes Pariser Frühstück verlief wie in Trance. Wir waren beide nicht sicher, ob wir unsere eigenen Glieder bewegten oder geliehene. Edmond las lustlos die Zeitung. Einmal unterbrach er, hob den Blick und deutete mit dem Zeigefinger auf eine kleine Notiz: die zwei- und dreiundneunzigsten Drogentoten... Ich zuckte mit den Achseln; Leila war ein Engel, mit oder ohne Nummer: tausendundeins, 08/15, wer weiß. Vielleicht leistet sie dem Buddha Gesellschaft, dann und wann, im Vorüberflug. Und vielleicht spürt auch Edmond manchmal einen Flügelschlag, nah an der Schläfe, zwischen Hören und Sehen. Ich werde es nie wissen. Edmond ist fort. Kein Buch der Welt wird ihn zurückbringen, nicht einmal ein ungeschriebenes. Das Erzählen, anstatt ihn zu halten, hat ihn vertrieben. Ich habe mich verzählt; aus der Liebeserklärung wurde die Erklärung der Liebe.

Heimreise

Wenn man Angst hat vor der Zahl 13, läßt man sie einfach aus. In vielen Hochhäusern in Amerika (einschließlich des Gebäudes der City University in New York) fehlt der 13. Stock; in Krankenhäusern gibt es keine Zimmernummer dreizehn (man stirbt trotzdem), und am 13. jeden Monats zieht man die Decke über den Kopf (oder tut Verwandtes, wie ganztags fernsehen) und wartet, daß er vorübergeht. Mit Müttern geht das nicht: Sie halten den Aufzug im Nirgendwo an, öffnen unsichtbare Türen und ziehen die Decke weg. Dann sitzt man da, auf jedes Unglück gefaßt, und eine Stimme sagt: *Der Mittelscheitel steht dir nicht, du siehst damit zu pausbäckig aus.* Ich bin über dreißig, mehr als die Hälfte meines Lebens wohne ich schon ohne sie, und doch brannte mein Mittelscheitel – im Zug, auf der Fahrt zu ihr – wie eine Lunte auf meinem Kopf. Ich griff so oft danach, daß Edmond mich fragte, ob ich Kopfschmerzen hätte. *Gewissermaßen,* antwortete ich und ärgerte mich über sein verständnisloses Achselzucken. Ich betrachtete ihn, und meiner Mutter Blick sezierte mit meinen Augen: Er war nicht groß genug, sein athletischer Körper war vulgär,

und er tat nichts, ihn zu veredeln. Die Funktionalität
seiner Kleidung widersprach jedem Sinn für Raffinesse
(der andererseits auch durchaus zum Vorwurf gerei-
chen konnte), sein Haar war ungewaschen. Dosieren
ist eine Kunst, deren perfekte Beherrschung Mütter für
sich alleine reklamieren. Man wartet auf das mit unbe-
kümmerter Willkür verkündete Verdikt des zuviel! zu-
wenig! wie auf die Unglücke des 13. Und entgeht auch
ihnen nur durch Leugnung des Bestehenden. Es gibt sie
nicht, meine Mutter, sobald die Haustür hinter mir
zufällt. (Die Gehässigen unter euch werden jetzt natürlich anmerken, daß das Buch aus Aberglauben entsteht,
hochgehalten wie ein Schild oder ein schwarzer Balken
auf den diskreten Photos der Presse, die die Opfer
schonen sollen. Aberglauben ist immer noch besser als
Glauben.)

Du machst ein Gesicht, als führtest du mich zum Henker!
sagte Edmond belustigt. *Sie wird dich nur fressen*, erwiderte ich.

Wir gingen in den Speisewagen. Leila fiel mir ein. Sie
lag jetzt im Kühlen, mit einem Zettel am Fuß, irgend
jemand hatte der Einfachheit halber das Kettchen
durchgeschnitten: Lei-la. Silbentrennung, das Zer-
schneiden der Nabelschnur (tut nicht weh). Nur ein
Regenwurm gehorcht der Mathematik; und eins und
eins macht zwei.

Es war voll und verraucht im Speisewagen. Wir
setzten uns zu einem Paar, das einladend auf die zwei

leeren Plätze neben sich gedeutet hatte. Sie sprachen türkisch, anscheinend ging es um einen Zeitungsartikel, denn die Frau deutete immer wieder auf eine aufgeschlagene Seite, als wolle sie dem Gesagten Nachdruck verleihen, indem sie auf Gedrucktes verwies. Edmond sagte auf Englisch und vorsichtshalber leise: *Es ist nicht einfach, im Augenblick in Deutschland Ausländer zu sein.* (Ich übersetze natürlich alles, was er sagt, aber das ist beim Schreiben nicht weiter der Erwähnung wert, weil es immer so ist, auch wenn alle Romanfiguren dieselbe Sprache sprechen.) *Überall nicht,* antwortete ich, leicht verlegen wegen der Plattheit der Aussage. Dabei hatte Edmond recht, es war ein simpler Tatbestand, und es bestand kein Grund, ihn fraglicher zu formulieren. Aber in mir sträubte sich alles, eine solche Gradlinigkeit hinzunehmen. Subjekt, Objekt, Prädikat – ein vollkommener Satz, alles war an Ort und Stelle. Fremdenhaß war die Norm, und perverserweise profitierten einige wenige Fremde gerade von diesem Haß: Ihre Schicksale bekamen dadurch die geeignete Würze, auf Papier festgehalten zu werden. Wer ein solches Buch kauft und liest, erteilt sich die Absolution; der Autor übernimmt flugs Priesterfunktionen. Geteiltes Leid ist beileibe nicht halbes, sondern Gott sei Dank millionenfaches. Allerdings ist nur Leid von Autodidakten gefragt, professionelle Selbstdarsteller (z. B. Akademiker) geraten schnell in den Verdacht, klüger sein zu wollen als ihre büßenden Leser und damit den Wert der Buße zu

68

vermindern, denn Intellektuellen schuldet man ja nichts, egal welcher Nation sie angehören. Im Gegenteil, sie verderben einem den Spaß, auch mal einem Niemand aus Anatolien oder Apulien etwas zu gönnen, und seien es bloß die Tantiemen aus den Einnahmen ihrer Aschenputtelmärchen. Das Schöne an Aschenputtels Geschichte ist nämlich, daß es das Böse geben *muß*, um das Happy-End – arbeitsloser Türke wird Autor eines Bestsellers – saftiger zu gestalten. Folglich braucht man sich gar keine Mühe zu geben, das Böse zu verhindern, sonst nähme man ja solchen jungen Talenten die Existenzgrundlage.

Die Reise zu meiner Mutter ließ mich Kampfhaltung einnehmen, ich saß tatsächlich mit geballten Fäusten, bis Edmond mich darauf aufmerksam machte, daß ich so nicht essen könne. Das Omelett triefte vor Fett, und nur der heiße Pfefferminztee machte es erträglich. Mit verbrannter Zunge spürte ich, wie es geschmacklos meinen Gaumen herunterglitschte. Edmond aß eine dick mit Butter bestrichene Schnitte Weißbrot dazu – die Haare meiner Mutter standen mir zu Berge! Unsere Tischnachbarn kauten auf Zahnstochern herum und musterten mit abgestoßener Miene die öde Landschaft des Saarlands, die an uns vorüberzog. Mein Vater war nach der Scheidung meiner Eltern ins Saarland gezogen, und nicht selten wurde meinen Schwestern und mir damit gedroht, »ins Saarland« geschickt zu werden. Als Kind hatte ich alles Unangenehme kurzerhand ins Saarland verlegt: den schlechten Wetterbericht, die Erdbeben aus den Nachrichten, den (lange verheimlichten) Tod meiner Großmutter, deren Schürze mein einziger Ort der Verheißung gewesen war. (Das ist wohl der Grund, warum ich den dicken Bauch des Buddhas so abgöttisch liebe.) Für die Dauer des Besuchs hatte ich übrigens dem Buddha mein Ohr verschlossen, aus Angst, daß sein Wispern nach außen dringen könnte oder mein Lächeln an falscher Stelle Mißtrauen und – schlimmer noch – Fragen hervorrufen könnte.

Nichts geschah, als wir unseren Kaffee tranken, trotz starken Rüttelns (der Kellner fiel fast auf uns, als er ihn brachte), kein Verschütten, kein Zeichen. Ich war enttäuscht. Als Kind verlieh ich meiner Welt Standfestigkeit, indem ich alle Ereignisse zeichenhaft miteinander verknüpfte: Erreichte ich die vorletzte Stufe im Treppenhaus, bevor meine Schwester die Tür öffnete, so bedeutete das Glück. Ich war aus Furcht ordentlich: Einmal lag mein Lineal auf dem Boden, und eine wahnsinnige Angst überfiel mich, daß jemand unterwegs sei, mich zu töten – denn das Lineal am Boden war das Signal; es deutete auf mich. Ordnung ist Spurentilgung, und meine Sehnsucht nach (und Unfähigkeit zur) Unordnung ist folglich Sehnsucht nach einer Spur, die nicht verriet und bloßstellte, sondern auszeichnete.

Neben uns wurde es laut. Das Paar stritt sich, und als der Kellner kam, um zu kassieren, sprang der Mann auf, ohrfeigte meine Nachbarin und drängte sich an Edmond vorbei in den schmalen Gang. Edmond verlor fast das Gleichgewicht, weil er gerade seinen Geldbeutel aus der hinteren Hosentasche zog. Rote Striemen zeichneten sich auf dem Gesicht der Frau ab, die erstarrt dasaß. Auf einmal belebte sich ihr Gesicht, und sie schrie aus voller Kehle *Arschloch!* hinter ihm her, *Arschloch! Arschloch!* Sie schwieg erschöpft. Der deutsche Fluch schien die Luft aufzuladen, und ich fühlte die Süße des Sieges mit ihr. Sie stand auf, sagte *Entschuldigung, bitte,* und ich ließ sie vorbei. Sie schritt erhobenen Kopfes, halb rot, halb weiß, zur Tür. Dort drehte sie sich um, lächelte mir zu und ging.

Wir waren da. Meine Mutter stand am Bahnsteig. Als ich sie umarmte, roch ich den Lavendel aus ihrem Kleiderschrank, und meine Beine wurden butterweich. Mein Gesicht in ihren Händen, küßte sie mich auf den Mittelscheitel.

Über die Liebe

Edmond flog von Frankfurt aus nach New York. Als ich seinem Flugzeug hinterhersah, überkam mich eine solche Traurigkeit, daß ich in die Hocke gehen mußte wie bei Leilas Anblick und meinen Schal naß weinte. Ich zog ihn nicht aus; die Nässe am Hals erinnerte mich an die erste gemeinsame Taxifahrt in Paris. Die Zeit, die mir blieb, am Bahnhof auf meinen Zug zu warten, verbrachte ich bei einer Tasse Kaffee, die Nase tief in meinen Schal vergraben, in der Faust ein Säckchen mit Lavendel, das mir meine Mutter geschenkt hatte. In Gerüche vertieft, deren Träger sich immer weiter entfernten, kam ich in München an. Ungewaschen legte ich mich ins Bett, und endlich war Edmond hautnah.

Alles, was man über die Liebe sagt, was man empfindet und denkt, ist Nacherzählen. Allenfalls Aufgerebbeltes wieder neu stricken, neue Muster finden, neue Anordnungen für mürbe Fäden. Im Italienischen – des Quattrocento – ist das Wort für Weber und Autor (Texter) gleich: testor. Eine sehr weise Etymologie.

Stop it! sagte mir der Buddha nachdrücklich ins Ohr. *Das ist ein Buch, keine Vorlesung.* Dann fügte er spöttisch hinzu: *Du begehst Webfehler.* Er kicherte. Ich legte mich auf die andere Seite, so daß das Ohr vom Kissen verschlossen wurde und seine Stimme halberstickt. Edmond war schon in Amerika, wo die Sonne jetzt noch schien und die Luft am Flughafen nach Salz und Kerosin schmeckte, nach Meer und Ferne. Die Dunkelheit, die hier schon herrschte, kam mir vor wie eine Strafe, eine Benachteiligung.

Leib und Beil, Eile und Blei – löchrige Anagramme der Liebe als Einschlaflied; besser als bis fünfhundert zählen oder Schäfchen suchen.

Warum macht die Liebe solche Lust auf Diminutive? Ich wollte Edmond unter -chen und -leins begraben, jeden einzelnen Körperteil liebevoll verkleinern. Eine reichlich paradoxe Form der Possessivität, man macht den Geliebten handlich, bis er ganz ins Herzlein paßt. Alles Fremde und Unverständliche wird durch die niedlichen Endsilben heimisch, handzahm, streichelfest. Auch in Kinderliedern gibt es diesen Hang zur Domestizierung, die Welt soll mit ihnen zusammen wachsen (oder schrumpfen), wem macht schon ein Bömbchen angst? Kosen ist, wenn man mit jemandem *Zärtlichkeiten tauscht* oder ein *Liebesgespräch führt*, laut Wahrigs Deutschem Wörterbuch. Im Althochdeutschen bedeutete *koson* »eine Rechtssache führen, verhandeln«, phonetisch ist die Ähnlichkeit mit *causa* (lat., ital. *Ursache, Rechtssache, Prozeß)* durchaus noch da. In den Mäandern der Sprache werden Gegenteile plötzlich zu Synonymen. Oder sind es gar keine Gegenteile? Die

Liebe, die Koseworte, sie richten und berichtigen. Mit Diminutiven gespickte Verhandlungen, Kosenamen werden zum *alias*: Man legt den anderen mit dem neuen Namen an die Leine.

Aber was hilft's, im Bauch der Sprache nach Lösungen zu suchen – da operiert sich der Patient selbst, und Wunde und Narbe sind nicht mehr zu unterscheiden. Wer die Sprache in den Mund nimmt, muß sie auch schlucken: Übersicht und Einsicht schließen sich aus. *Jetzt schlaf!* sagte der Buddha, er war der Wortklauberei müde. (Oder ist es Wortglauberei? /glauben zu idg. [indogermanisch] *lub-; verwandt mit lieb, loben, erlauben, Urlaub.) Ich erlaube zu glauben, daß Klauben der Liebe Lob beurlaubt? *Der Sprache auf der Spur, folgt die Zensur*, hänselte der Buddha. (Hänselt?)

Über die Liebe läßt sich sagen: el – i – e – be – ee. Das tröstet.

In irgendeiner fernen Sprache ist vielleicht lieben verwandt mit lesen; man sagt, ich lese dich! und wenn man sich verläßt, ist es nicht mehr als das Umblättern der letzten Seite. Man gehorcht dem Taktgefühl einer Geschichte. Das Telefon klingelte. Meine Mutter sagte: *Edmond ist nett, aber er hört nicht richtig zu und hat schlechte Tischmanieren. Er hat kaputte Zähne – warum rätst du ihm nicht, mal zum Zahnarzt zu gehen? Trag niedrige Schuhe, wenn du mit ihm ausgehst. Kennst du seine Eltern?*

Stimmt. Werde ich. Ja. Nein.

Ich stand auf, noch mit dem Lavendelsäckchen in der

Faust. Ich legte es zwischen die Handtücher; als ich die Schranktür zuschloß, traf der schwache Lavendelgeruch des Windstoßes schon auf eine halbfreie Nase.

Was nun? fragte der Buddha, und mein nachttaubes Ohr begann sich zu regen.

Du bist dran, erwiderte ich. *Liebe ist, wenn* . . . kicherte er, *wenn in Worpswede die Sonne scheint und der Torf blüht.* Das Grübchen seines Nabels hüpfte mit dem gewaltigen, vom Lachen ins Schaukeln versetzten Bauch auf und nieder. Wie ein zweiter Mund, der stumme, heftige Lippenbewegungen machte, um mich zu Unaussprechlichem zu überreden. Mein Ohr war rot.

Ich beschloß, alles zu versuchen, um nach New York geschickt zu werden. Gute Gründe gab es genug, meine Ortskenntnis, Sprachbeherrschung, *Green Card*. Ich mußte mir eine Liste aller Archive beschaffen, um überzeugend eine Notwendigkeit konstruieren zu können. Der Gedanke beflügelte mich, die Trauer fiel von mir ab wie eine alt gewordene Haut. War das Liebe? Oder Lust auf Parenthese: das Leben ausklammern, ein Stück langweiligen Texts überspringen, den Alltag der Hauptsätze übergehen – eine Zugabe. Der Punkt nach Paris wird wegradiert und das Fragezeichen nach Liebe auch.

Die Zugabe

Ich habe große Angst vorm Fliegen, auch heute noch. Es erscheint mir eine Anmaßung, eine Gotteslästerung, daß ein so viele hundert Tonnen wiegendes Ungetüm sich straflos in der Schwerelosigkeit des Himmels bewegt. Die Flugzeugnase bohrt sich selbstbewußt in Wolkengebirge, deren Mächtigkeit mich andächtig macht. Die Spannweite der Flügel ist besitzergreifend, es erscheint mir jedesmal unmöglich, daß ihnen nicht irgend etwas im Weg ist; ein Engel, eine aufgeschlitzte Schneedecke. Doch wie zerbrechlich werden sie im Sturm! Auf dem Flug von München nach New York gerieten wir in ein schweres Unwetter, der Flügel (ich saß genau darüber) schwappte auf und nieder wie eine Welle, mein Magen wiederholte die Bewegung. Um uns herum herrschte pechschwarze Nacht, obwohl es Tag war, der Hurrikan hatte mit einem Schlag alle Farben ausgelöscht: Wir waren in der Mitte eines kosmischen Zorns, eines universalen Wutanfalls. Ich fand es richtig, trotz meiner unbändigen Angst, daß wir alle sterben mußten – als hätte irgendein gewaltiger Riese sich lange genug von vorwitzigen Wichten an der Nase herumführen lassen, und jetzt war es ihm danach, die

Faust einfach zuzudrücken und dem Treiben ein Ende zu bereiten. Nach minutenlanger Ewigkeit sprach der Pilot aus weiter Ferne zu uns: *It's going to be a bit rough*, sagte er in dem beunruhigenden Understatement-Ton, der solchen Situationen zu eigen ist. Mein Nachbar erbrach sich, ein orthodoxer Jude jenseits des Gangs hielt seinen Kopf geneigt und betete, eine Gruppe von Musicalsängerinnen (die uns vorher mit populären Melodien aus ihrem Repertoire unterhalten hatten) hielt sich an den Händen und sang Frommes. Ich hielt mich an meinem Sicherheitsgurt fest und starrte durch die Fensterluke in das Schauspiel des Untergangs. Der Pilot kündigte an, daß der Sinkflug jetzt begänne, das Tanzen nahm zu, die Stewardessen, blaß vom Schlingern, gaben das Lächeln auf und setzten sich angeschnallt auf ihre Schleudersitze. Als das Flugzeug landete, dachte ich, das sei der Absturz, so heftig war der Aufprall. Die Faust hatte sich noch einmal geöffnet und uns entlassen. Nicht aus Mitleid oder Gnade, sondern vom eigenen Groll gelangweilt. Wir vermieden es, einander in die Augen zu schauen, aus Scham angesichts unserer Dürftigkeit, der wir die Rettung verdankten.

Ich hatte Edmond gebeten, mich nicht abzuholen, ich wollte die ersten Stunden alleine sein. Ein Gefühl der Dankbarkeit überflutete mich jetzt, gemischt mit der Euphorie, wieder in New York zu sein. Ich weiß, es ist Mode, unwesentliche Ereignisse (wie die Liebe) in einer Metropole stattfinden zu lassen, deren Bedeutung sich auf die stichwortartige Nennung von Gemeinplätzen – ich meine es wörtlich – wie Fifth Avenue, Via Veneto reduziert. Eine Art geographisches *name dropping*. In meinem Fall ist es aber nun einmal so, daß ich entscheidende fünf Jahre in New York verbracht habe und nicht in St. Goarshausen. Überdies war Edmond jetzt dort, ein glücklicher Zufall, ich wäre ihm wahrhaftig auch nach Florence, Kentucky gefolgt, seid getrost. Daß die Provinz nicht zu kurz kommt, dafür sorgt schon der Buddha aus Worpswede.

Die Schlangen an der Paßkontrolle waren lang wie gewohnt; ich fieberte dem kleinen Zwiegespräch mit dem Beamten geradezu entgegen, der sicherlich wissen wollte, warum ich, als Inhaberin einer *Green Card*, so lange außer Landes gewesen war. Ich hatte Europa vermißt, aber als ich schließlich wieder dort lebte, wurde mir klar, daß ich es betrachtet hatte, als sei es unter einer dieser kleinen Glasglocken eingeschlossen, die man schüttelt, bis die schneeverwehte Idylle ausbricht.

Die schwarzen Gepäckträger, Flughafenbedienstete, die feiner aussahen als k. u. k. Kadetten der Jahrhundertwende, versuchten höflich, Herr des Chaos zu werden und ihre riesigen Karren niemandem in die Kniebeuge zu schieben. Die großen Schiebetüren öffneten sich automatisch, es war, als regelten sie den Einzug ins Paradies. Vor mir stand eine deutsch–amerikanische

Familie, deren Kinder zweisprachig quengelten, je nach dem, an wen sie sich wandten. Die geplagten Eltern riefen abwechselnd *Stop it*! und *Hör auf damit*!, aber die Verdoppelung hatte einen eher anspornenden Effekt. Der *jet lag* hatte den beiden Kindern wohl noch einen zusätzlichen Adrenalinstoß verpaßt, sie schrien und wälzten sich am Boden, stießen einander unter Schmerzgeheul in die Rippen und spuckten. Als sie bei ihren Raufereien die aufgemalte Wartelinie überschritten, kam die Beamtin wie eine Furie aus ihrer Kabine, deutete mit majestätischem Zeigefinger auf die magische Linie und rief: *Will you please adhere to the rules imposed by the American Immigration and Naturalization Laws*! Es hatte unmittelbare Wirkung: Die beiden Kinder, von der Mächtigkeit und Autorität des Ausrufs wie gebannt, schlichen sich hinter ihre Eltern, daumenlutschend. Ich war auch beeindruckt, denn der Fluch hatte bei all seiner Formalität und Paragraphenhörigkeit nichts von der Spontaneität eines echten Ausbruchs verloren. Als ich an die Reihe kam, hatte sie sich wieder gefaßt, nur ihr beschleunigtes Atmen und das damit verbundene starke Heben und Senken der (riesigen, in Zuckerhut-BH eingepferchten) Brust verriet noch die kaum vergangene Empörung. Mit mir war sie unbürokratisch schnell und gab sich mit meiner Antwort nach dem Zweck meines Aufenthalts (*Nachforschungen*) zufrieden. Als sie *Next*! rief, hatte ich Europa schon vergessen.

Ich hatte bereits von München aus eine Wohnung untergemietet, das war günstiger, als in einem Hotel zu wohnen, und lag mir mehr. Ich wollte wieder in New York leben, nicht zu Besuch sein. Die Wohnung war im 25. Stock eines dreißigstöckigen Hochhauses in der Greenwich Street, in Tribeca. Man sah vom Balkon aus die Colgate-Reklame am gegenüberliegenden Ufer des Hudson, in New Jersey, und in östlicher Richtung *midtown*, mit dem Chryslerbuilding in kitschigen Christbaumfarben (Weihnachten lag nicht mehr fern). Direkt unterhalb standen große Warenhäuser, die zum Teil noch als solche genützt wurden, es roch nach Käse und Fisch. Andere waren Wohnhäuser geworden, und von oben sah man in die endlosen *lofts*, wo Kinder Rollschuh und Scateboard fuhren und Mütter (Väter) inmitten von Bonsai- Dschungelanlagen am Computer saßen und für den *New Yorker* schrieben.

Es war fast sieben Uhr abends, als ich ankam. Ich stellte mich den Türstehern vor (das hört sich nach Kafka an, *doormen* also. Manche Dinge sind unübersetzbar, weil sie eine verkehrte Welt evozieren), sie sagten mit dickem, gutturalem indischen Akzent: *You are welcome*. Im Hausflur der vertraute Gestank von Kakerlakenvernichtungsmitteln, kleine Fallen, die ein weißliches Pulver enthielten: Auch meine Nase wußte jetzt, wo sie war.

Ich stellte meine Koffer ab und ging sofort in den vierundzwanzigstündig geöffneten Supermarkt, der zu dem Wohnkomplex gehörte. Ich hätte nie gedacht, daß mein Herz so vor Freude hüpfen würde wie beim Anblick von *English Muffins* (die ungetoastet absolut ungenießbar sind), den rechteckigen Butterstäbchen und den Zwei-Liter-Konfektionen wunderbaren Orangensafts. Der Buddha schaute verständnisvoll herablassend, als ich mit meiner Tüte frohlockend zum Aufzug ging, nein rannte, denn auf einmal hielt ich es ohne Edmond nicht mehr aus.

Sein Anrufbeantworter wiederholte nur trocken die gerade gewählte Nummer und forderte leidenschaftslos dazu auf, eine Nachricht zu hinterlassen. Die Stimme zitterte mir, als ich sagte: *Ich bin in New York, ruf mich an.* Und es war, als wöge der Hörer Tonnen in meiner Hand und drückte mich in die Knie. Gierig trank ich ein Glas des köstlichen Orangensafts, als könnte ein Vitaminschub meine Verzweiflung dämpfen. Ich ging auf den Balkon und sah die unendliche Erstreckung Manhattans, die Lichter, das Hupen, die Millionen Stimmen hinter den Regenbogenfarben meiner Tränen wie durch einen zarten Insektenflügel. Es war windig, die Luft schmeckte nach dem Hudson. In weiter Ferne winkte die Freiheitsstatue den Neuankömmlingen.

Eine große Müdigkeit überkam mich. Am liebsten hätte ich mich unter einem Federbett verkrochen, aber derlei deutsche Schwermutabhilfen fehlten in dem durch und durch funktionalen, auf Dauer-Untermiete angelegten Appartement völlig. Statt dessen eine frisch gereinigte Überdecke im Hotelstil, mit Bettlaken, nicht Überzügen. Sie steckte noch in der Cellophanhülle; als ich sie hochhob, floh eine Kakerlake in panischem Zickzackkurs unter das Bett. Ich schlug die Tür hinter mir zu, holte ein Bier aus dem Kühlschrank und ging zurück auf den Balkon. Von hier oben wirkte alles wie durch ein Fernglas gesehen, und es kam mir vor, als hätte ich mich in eine Lupensicht meines Lebens verbohrt, unfähig, die drei Schritte nach hinten zu gehen, die mir erlaubt hätten, Abstand und Ruhe zu gewinnen. Man müßte schreiben lernen, wie man liest: in Worttrauben, Wortreben statt in Buchstaben. Ein scharfer Blick, und der Buchstabe fällt vor Angst zu mißfallen (sic!) um. *Geleimt und gebunden werden sie dafür um so mutiger*, sagte der Buddha.

Ich schnitt ihm das Wort ab, nahm das Telefon und trug es in die Küche. Dort war es nicht eigentlich schmutzig, aber klebrig von verstaubtem Fett. Unter dem Waschbecken fand ich eine imponierende Ansammlung von Putzmitteln, die jedem nur halbwegs ökologisch denkenden (fühlenden?) Menschen Gänsehaut verursacht hätte. Mir kam es wie gerufen, ich wollte scheuern, ätzen, schmirgeln, reiben, schrubben, wringen, bürsten: das ganze Folterkammervokabular an mir auslassen, bis eine neue Haut zum Vorschein käme. Als das Telefon schließlich klingelte, sah die Küche aus (und roch) wie ein OP, meine Hände waren rot und rissig, unfähig, nach dem Hörer zu greifen. Außerdem war ich nach diesem Amoklauf zu entrückt zum Reden. Der Anrufbeantworter schaltete sich ein. Als Edmonds Stimme zu hören war, machte ich das Fernsehen an und steckte ein *English Muffin* in den Toaster.

Ein vergnügtes Nachrichtenpaar von *Channel Five* unterhielt die Zuschauer mit Geschichten aus New Yorks Unterwelt. Die Mordstatistik schwoll rekordverdächtig an, man schien sich über den ersten Platz zu freuen. Der Wettermann pries das morgige Wetter wie ein Produkt, das neu auf den Markt gekommen war und gegen andere Konkurrenten antreten mußte. (Der deutsche Wetterbericht hört sich dagegen an wie eine Regierungserklärung.) Ich trank noch eine Flasche Bier, aß das heiße, knusprige Muffin mit der leicht gesalzenen Butter und zum Nachtisch schwedisches Eis aus New Jersey.

Mit von der *New York Times* schwarz gefärbten Fingern schlief ich ein. Mitten in der Nacht, zu der gewohnten Aufstehzeit in Europa, wurde ich wach. Von unten drangen streitende Stimmen herauf, metallische Geräusche. Ich stand auf, sah durchs Fenster. Drei Stadtstreicher, auf dem kleinen Verkehrsinselchen in der Mitte von Duane Street gestrandet, versuchten sich gegenseitig mit Flaschen den Schädel einzuschlagen. Einer von ihnen hatte einen Einkaufswagen aus dem Supermarkt mit seinem Hab und Gut vollgeladen und benützte diesen jetzt als Waffe (das war das metallische Geräusch, das ich gehört hatte. In seinem Suff fuhr er damit gegen die geparkten Autos). Ich war zu weit weg, um zu sehen, ob sie sich schon verletzt hatten. Unentschlossen beobachtete ich sie weiter, sie schienen sich zu umarmen, die Arme reichten kaum um den Rücken des anderen herum, so viele Schichten trugen sie unter ihren Mänteln. Sie bewegten sich im Rund wie unbeholfene Tanzbären, und ab und zu ging das gemächliche Schaukeln wieder in Drohgebärden und Stöße über. Ich ging zurück ins Bett, drückte auf den Wiedergabeknopf des Anrufbeantworters: *Ich freue mich auf eine Zugabe ohne Souffleur. Freihändig.* Sagte Edmonds Stimme. Es klang wie ein Ultimatum. Und als hätte der Buddha seine Hand im Spiel.

Zwei und zwei sind manchmal fünf
oder Überwintern, bis alles vorüber ist.
First Things First.

Was soll dieser Titel? Ich weiß es natürlich nicht; so schreibt man heute eben, ist *eine* Erklärung. Irrlauf meiner Hand. Chromatik der Sprache. Liebeskummer. Keine Lust auf Konjunktionen. Die Worte in die Schürze füllen, wie Sterntaler, und verstreuen, rieseln lassen. Dasjenige, das zuerst unten landet, darf sich selbst sagen. Das ist sicherlich nicht affiger, als alles klein zu schreiben. Am oberen Rand des Bildschirms lese ich: *File Edit Search Layout Mark Tools Font Graphics Help*: das Computermenü als Kurzwarenladen voller Sonderangebote einschließlich Selbstmordprophylaxe.

Freihändig, verlangte Edmond (woher kannte er mein Bild des Seiltänzers?), von mir aus auch kopflos, wenn ich schon dabei bin. Der Buddha ist schließlich mein Herausgeber, mein Lektor; er wird mir meinen Kopf gewiß per Rotstift wieder ansetzen. In diesem Fall besteht Zensur wohl eher im Hinzufügen als im Aus-lassen: In der Theologie ist die größte Sünde, die größte Blasphemie das Verschweigen Gottes, nicht seine Be-schimpfung. Falls man daraus überhaupt Schlüsse für das Schreiben ziehen darf, das gottlose, meine ich.

Auf dem Computerschirm ist dies Seite 55, meine Glückszahl. Ich bin 1955 geboren, am 23. (2 + 3 = 5) 10. (= 2 x 5). In Florenz, wo ich ein paar Jahre lebte, bevor ich nach New York ging, war meine Telefonnummer 28 42 55. Habt ihr die Vorwahl von Florenz erraten? Genau: 055. Mal sehen, was das Jahr 2010 mir bringt. Genug des *brainstorming* und der hohen Mathematik – eine kleine Muskelanspannung schuldet man seinen Lesern schon; und sei es nur in der Form eines steifen Handgelenks.

First things first. Ist das nicht eine wunderbare Redensart? Erste Dinge zuerst. Sagt man und beginnt zu überleben. Ein poetischer Pragmatismus. Die streitenden Stadtstreicher fielen mir ein. Ich lief zum Fenster, voller Panik, daß einer von ihnen halberfroren am Boden läge. Aber die kleine Verkehrsinsel war verlassen, vielleicht ein paar Scherben, schwer zu sagen vom 25. Stock. Ich zog mich an, um die Zeitung kaufen zu gehen. Draußen wehte ein eisiger Wind vom Meer, der stoßweise nach Käse und Fisch roch. Es dampfte aus den Untergrundschächten, die Stahlplatten dröhnten unter den schweren amerikanischen Autos, die allesamt aussehen wie Kakerlaken. Der puertoricanische Pächter des Coffeeshops lachte mich an, als ich mit blauen Wangen eintrat. *Frio, eh?* Ich nickte. Ich setzte mich auf einen der drehbaren Schemel und bestellte Omelett, Kaffee und die Zeitung.

Mir wurde immer klarer, daß ich es hinausschob,

Edmond anzurufen. (So wie ich es jetzt herausschiebe, unsere Begegnung zu beschreiben.) Meine Sehnsucht irritierte mich, auch nach einer ganz erlebten und halb beschriebenen Liebesgeschichte war er wie hinter Wolken; das Licht, das ab und zu hervorbrach, erhellte *mich*, nicht ihn. Was kann ich über ihn schon sagen, das nahebrächte, wie sehr mich der Anblick seiner sehnigen Oberarme, die aus dem kindischen, halbärmeligen T-Shirt hervorschauten, rührte, so sehr, daß sich mir auch damals, beim Lesen der Zeitung, die Augen mit Tränen füllten. Seine glatte Haut, wie polierter Stein, die schwarzen, krausen Lockeninseln zwischen Brust und Nabel, hundert kleine Einzelheiten, die sich zu keinem Satz fügen ließen. *Komm, komm, sagt der Buddha launig, das Buch ist über dich, über mich, über Bücher, über die Welt – genug Platz auch für Edmond, oder? Hat dich nicht mein Grübchen eher zum Lachen gebracht? Der rosa Himmel über Worpswede zum Staunen? Der Wind in den Birken besänftigt?*

Die Tür öffnete sich, und Edmond stand vor mir, den Finger auf die Lippen gelegt, als hätte er dem Buddha ein Zeichen gegeben, seinen Eintritt nicht zu verraten, bevor ich mich umdrehte. Ich ließ die Zeitung in das halbgegessene Omelett sinken, sah noch, wie sich der erste Fettfleck bildete, und rannte an Edmond vorbei durch die Tür, ohne zu bezahlen, der puertoricanische Pächter hinter mir her. Als ich mich an der nächsten Kreuzung umwandte, sah ich die bei-

den mit Geldscheinen in der Hand männliche Verbrü-
derungsgesten austauschen: Schulterklopfen, Schlag
mit der flachen Hand gegen den Oberarm usf. Wahrscheinlich sagten sie gerade: Ja, die Frauen, graue Haare
und Schulden machen sie einem.

Bevor ich die Straße überkreuzen konnte, hatte er
mich eingeholt, drehte mit seiner Armbeuge mein Gesicht zu seinem und küßte mich. Mund an Mund traten
wir ein, an den staunenden *doormen* vorbei, in den
Aufzug. Nur zum Aufschließen löste ich mich von
ihm, dann fielen wir auf das Bett und blieben dort bis
spätnachmittags. Ich schlief bäuchlings auf ihm ein;
hätte er fliehen wollen, er hätte sich geradezu unter mir
herausfädeln müssen, meine Arme und Beine rankten
wie Schlingpflanzen um ihn herum. *Mein Edmond*, flüsterte ich, und er klopfte mir sacht auf den Rücken, als
wolle er sagen: Es schadet niemandem, daß du es
glaubst.

Irgendwann am Anfang habe ich einmal gesagt, daß
wir alle Papiergestalten, Anziehpuppen sind. Das
klang, als sei es wenig – aber Liebe ist nicht einmal
Papier. Edmond hatte mir in dem Monat der Trennung
nie geschrieben, und so wird, mit großer Verspätung,
dieses Buch eine Art endloser Liebesbrief, der meine
sehnsüchtigen Reminiszenzen widerstandslos erträgt.
Zwischen zwei Buchdeckeln ist noch nie jemand ent-
kommen, Zeilenangst könnte man das nennen, das
unausweichliche Enjambement stilistisch hochgeprie-

sener Fallensteller, Würgegriff. Nach Jahren schwinge ich das Lasso und fange die Vergangenheit ein, unter heftiger Gegenwehr, wie es sich gehört. (Aber das kleine Kommando *typeover* zieht immer den längeren, behält immer recht. Wen interessiert schon, ob Computer denken können! Sie diktieren, sind Diktatoren, das ist viel wichtiger. Der Buddha hat sicherlich brüderliche Gefühle.)

Im Halbschlaf noch empfand ich ein Gefühl so überwältigender Einsamkeit, daß ich wie von einem akuten Schmerz sofort hellwach war. Da lagen wir, zu zweit auf einem Bett, das vier fassen könnte. Edmond und ich in Paris, Edmond und ich in New York, durch dünne Nabelschnüre mit einer Art Beruf und einer Art Welt verbunden, die gerade den allernotwendigsten Sauerstoffaustausch sicherte. Riesige Städte um uns herum, deren Areal wir nur zu einem Hunderttausendstel nützen: ein Kino, ein Restaurant, ein verzagter Spaziergang, Hin- und Rückfahrt zur unwesentlichen Arbeitsstätte. Seite an Seite, bis das Buch sich schließt; so eng gebunden, daß kein Platz bleibt für Freunde. Aus der unfreiwilligen Gesellschaft von Eltern und Geschwistern entlassen, wird man ungesellig, geht seiner Wege, stößt zusammen und geht dieselben Wege weiter, die auch zu zweit durchaus nicht gastlicher werden. In der Ferne sieht man viele Paare, mit offenen Mündern vom vergeblichen Rufen. Die Reiselust war einmal eine Tugend und ist jetzt nur noch eine Not (die man mit Seiltanzen überbrückt). Ich faßte Edmond an, prüfend wie die Hexe den Hänsel, ob er mehr Welt verspräche als ich selbst. *Hast du Freunde in New York?* fragte ich ihn, kaum daß er die Augen aufgeschlagen hatte. *Ruf sie an, ich will sie kennenlernen.* Edmond schaute verdutzt, als würde ich einen Kurzbesuch auf einem anderen Planeten vorschlagen. *Ja, schon*, sagte er zaudernd, *gleich*. Er stand auf, schaltete das Radio ein. *Jingle Bells.* Ich wurde noch mutloser. Heerscharen von New Yorkern, die mit überdimensionierten Einkaufstüten ihren überdimensionierten Kindern überdimensionierte Geschenke brachten und dann bei ihrem *shrink* (ihrem Therapeuten: Die Bezeichnung ist eine Abkürzung von *shrinkhead*, Schrumpfkopf. Keine sehr zuversichtliche Diagnose) über ihre konsumistischen Süchte für viel Geld klagten.

Kometen, die einsam abstürzten und im Weihnachtsrummel zerschellten. Meine Verlorenheit von ihrem Staub gekrönt; ein Aschenputtel, das kein Prinz erlöste. Sollte ich vielleicht Frösche küssen? Der Buddha sang mit in meinem Ohr, er unterwanderte meinen Widerstand, weil *er* bei *Stille Nacht, Heilige Nacht* mitweinen wollte. Er ist meine schwache Stelle, wo der schlechte Geschmack eindringen kann wie ein schlaues Virus.

Was hilft bei soviel vorweihnachtlichem Elend? Eine Großfamilie? Eine Reise in die Dürrezone? Die Bibel?

Verwöhntes Fratz. Kaprizen, Hormonmangel, diagnostizierte der Buddha. *Du bist unausstehlich*, resümierte

Edmond und begann mich zu kitzeln, bis ich nach Luft schnappte. Das tat gut, ich dehnte und streckte mich, als gälte es, einen neuen Körper auszuprobieren, machte ein paar Tanzschritte zu den Klängen von *White Christmas* und warf dem Empire State Building (grün rot gold) eine Kußhand zu. Auch wenn es niemand wußte, war ich doch eine junge, begabte, außergewöhnliche, gescheite und schöne Frau – selber schuld, wer sich um den Genuß meiner Gesellschaft brachte. Der Buddha saß mir im Nacken und hob mein Kinn, bis es sich selbstbewußt nach oben reckte. Laßt uns froh und munter sein.

Edmond hatte mir ein schönes Tuch geschenkt, ich legte es um und fühlte mich mit der Schlinge um den Hals dem Überleben gewachsener. Edmond kam mir entgegen, ich warf ihm das zierliche Schirmchen zu, das er mit vollendeter Pantomime auffing, unter die Achsel klemmte, um mir mit der freien Hand über den Abgrund zu helfen. Ein Kuß zur Belohnung, so wie die Banane für den Affen. *Quatsch, Quatsch*, sagte der Buddha, *wenn du so weitermachst, stürzt du tatsächlich noch ab. Mein Rat ist: Bodenfühlung aufnehmen* (ich schlug die Augen gen Himmel, stöhnend) *oder wenigstens einen leibhaftigen Bauch zulegen.* Er wies auf seinen. *Dann hast du eine Mitte!*

Hört auf zu meckern, Zugaben sind schließlich umsonst. (Und ich bin am traurigsten, daß ich keine Mondscheinsonate spielen kann.)

Elise

Es wird um Elise gehen, ich verspreche es. Nicht wie bei dem Kapitel *Heimkehr*, das meine Mutter unterschlug. Sie ging zwischen den Kapiteln verloren: Überhaupt haben Bücher interessante Zwischenräume, die einer Erkundung – durch Leser und Autor – wert sind. Zwischen den Seiten, den Zeilen, den Deckeln: Überall könnten geheimnisvolle, unsichtbare Kobolde wie Wanzen nisten, mit großen Radiergummis und Rotstiften in der Hand. Mit Pulvern ausgestattet, die zum Lachen oder Weinen reizen. Die süchtig machen; und im Handumdrehen sind hunderttausend Exemplare des Buchs verkauft. Listen werden veröffentlicht, die Betroffene und Verschonte auf dem laufenden halten über das Ausmaß der Epidemie. Und besagte Kobolde lachen sich ins Fäustchen.

Gewiß gibt es auch Bösewichte, die den Leser mit kleinen Spiegeln so sehr erzürnen, daß der das Buch zuklappt und der Altpapiersammlung spendet. Meine Mutter also, um darauf zurückzukommen, ist ein fast unbeschriebenes Blatt. Es gibt Schlimmeres.

Nach einer Woche in New York hatte ich mich völlig eingelebt. Ich trug die Handtasche quer über der Brust, hatte nie mehr als dreißig Dollar bei mir, vermied es, jemandem in der *subway* ins Gesicht zu schauen, und schrie fröhlich, *How are you doing today? What a gorgeous outfit!* wenn ich eine Kollegin im Archiv traf (und ... *Having a rough time?* wenn es ein Mann war). Anfangs, bei meinem ersten New Yorker Aufenthalt, hatte ich alle diese Freudenschreie beim Wort genommen und gleich am nächsten Tag (We *must* have lunch together soon!) bei dem Begeisterten angerufen, nur um auf konsterniertes Schweigen (*Hold on a second*) und betretene Ausreden (*I am terribly busy these days*) zu stoßen. Im Amerikanischen ist die Ernsthaftigkeit der Aussage umgekehrt proportional zu ihrer Intonation, eine wichtige Lektion. Auch für den Buddha und seine Karriere.

Edmond hatte einige Freunde für den Abend eingeladen, um sie mir vorzustellen. Den ganzen Tag war ich nervös und fand mich denkbar ungeschlacht, auch eine Kauforgie änderte daran wenig. Sobald ich mir vorstelle, von fremden Augen gemustert zu werden, wachsen mir Pickel und lagern sich zusätzliche Kilos an, die Haare werden stumpf, die Pointen lahm. Man würde Edmond bemitleiden. Gegen Abend schlugen meine Niedergeschlagenheit und mein Kleinmut in Trotz um: Selbst schuld, wer mich verkannte usf., und ich war überrascht über die Automatik der Stimmungen – wie beim Gangwechseln. Den Buddha im Nakken ging ich los.

Edmond lebte in Brooklyn, nicht weit von *Brooklyn Heights*, aber in einer wesentlich volkstümlicheren (italienischen) Nachbarschaft. Radios und Kinder lärmten auf der Straße, Alte saßen auf kleinen Stühlchen, dick eingepackt gegen die Kälte, vor ihren Treppenaufgängen und bewachten die Heiligen- und Madonnenstatuen, die ihre Vorgärten schmückten. Um diese Jahreszeit hatten die meisten noch bunte, elektrische Kerzenschnüre um die altarähnlichen Aufbauten gewunden; und ich muß zugeben, daß mich der katholische Kitsch bedeutend mehr rührte als die protestantische Kargheit. Meine Schwäche für überirdische Wesen, unterirdische auch, ist ja bekannt.

Es war eine freundliche, baumbestandene Straße, Edmond wohnte im Parterre eines *brownstone*, über ihm die neapolitanischen Vermieter, die – da allesamt schwerhörig – sich in einem merkwürdigen Mischmasch aus Neapolitanisch und Amerikanisch anschrien. Edmond hatte mir erzählt, daß sie eine großartige Sammlung von neapolitanischen Volksliedern und Opern hatten, eine Kostprobe war auch jetzt, als ich die Haustür erreichte, zu hören. Ich war die erste, Edmond umarmte mich. Er trug eine Schürze und roch nach Zwiebeln und Knoblauch. Unter der Schürze schaute das Life-is-a-beach-T-Shirt hervor, fleckenlos, soweit ich es sehen konnte. Ich folgte ihm in die Küche. Mehlbestäubte Fischfilets lagen auf dem Tisch, um sie herum ein Stilleben aus Knoblauchzehen, Zitronenscheiben, kleingehackter Petersilie und Kofferradio, eine Baseballübertragung. Wie ein winziger Querschnitt durch Edmonds Leben, dachte ich und spürte mein Herz im Kopf klopfen.

Er schliff geschickt ein großes Fleischmesser, konzentriert und hingebungsvoll, wie damals in Paris, als ich ihm bei seiner Gymnastik zusah. Nachdem er die Filets hauchdünn geschnitten hatte, bestrich er sie mit der Öl-Kräuter-Mischung, tätschelte jedes einzelne liebevoll und nachdrücklich. Edmond war beredt in seinen Gesten und damit nicht gerade zum literarischen Helden prädestiniert. Er tat alles mit schlafwandlerischer Bestimmtheit – ein Umstand, der Reden zur überflüssigen Dekoration reduziert.

Wer hatte wohl damals im Abteil nebenan geschlafen?

Jedem geschieht sein Buch recht, dachte ich, und naschte von der Zabaione. Mein Finger klebte noch, als Elise die Küche betrat, und ich reichte ihr die Hand mit einem absurd gespreizten Zeigefinger, als wolle ich ihr den Weg weisen.

Elise war etwas untersetzt, voll, aber nicht dick. Sie hatte unglaublich schönes, glänzendes, kastanienbraunes Haar, eine feingeschnittene Nase mit verächtlich geblähten Nasenflügeln, starke, geschwungene Augenbrauen über grau-grünen, kritischen Augen. Sie begrüßte Edmond mit Küssen auf die Wangen, mir reichte sie die Hand. Ihr Händedruck war wie zu erwarten fest, freundlich auch. Sie lächelte dabei und sagte, *Elise*. Edmond hatte mir erzählt, daß sie eine Kollegin von ihm sei, die auch *physical education* unterrichte, allerdings fehlte ihr die zusätzliche Ausbildung für die Arbeit mit körperlich Behinderten (die er in Paris absolviert hatte). Mit kindischer Zufriedenheit stellte ich fest, daß sie nicht so aussah, als würde sie regelmäßig Sport treiben, obwohl näheres Hinsehen deutlich machte, daß sie muskulös sein mußte. Sie war kleiner als ich. Es irritierte mich, daß sie es anscheinend nicht für nötig befand, mich einer ähnlichen Musterung zu unterziehen. Sie hatte sich mit einem Glas in der Hand am Tisch niedergelassen und eine Unterhaltung über schulinterne Angelegenheiten mit Edmond angefangen. *Was machst du?* wandte sie sich an mich. Reichlich mürrisch gab ich Auskunft, verärgert über meine mangelnde Souveränität. Ich spürte, wie mein Gesicht heiß wurde vor Unbehagen.

Andere Gäste trafen ein, viele Lateinamerikaner, zwei irisch-amerikanische Frauen, die beide Zahnspangen trugen, so daß ihr Lächeln etwas Monströses hatte. Man sprach über Sport, Diät und den Golfkrieg. Mein Englisch wurde gelobt und, als man bei Tisch saß, Edmonds Kochkünste. Elise saß mir gegenüber, neben Edmond, der an der Kopfseite des Tisches residierte. Mein linker Nachbar war ein gewisser Santiago, der sich lebhaft mit einer Zahnspangenträgerin (Jill?) unterhielt und ab und zu eher schuldbewußt das Wort an mich wandte. Meine Antwort auf seine Frage, was ich machte (*Bücher schreiben*), versetzte ihn in Verlegenheit, denn sie verhinderte die natürliche Fortsetzung der Anfangsfrage (*How much?*), die allen Amerikanern auf der Zungenspitze liegt. Wie im Leerlauf klappte er den Mund ein paarmal auf und zu, bevor er ihn dazu bewegen konnte, *How interesting* auszusprechen. Es war, als würde er eine seltene Hautkrankheit preisen. Ich verstummte beschämt, fühlte mich beengt, als sei ich selbst zwischen Buchdeckeln eingesperrt. *Lächle, sei freundlich, sprich über Erfreuliches! – Kochrezepte, Steve Martin, Heilungschancen des chronischen Müdigkeitssyndroms!* raunte mir der Buddha überflüssigerweise zu. *Du benimmst dich wie ein Sponsor,* maulte ich zurück, *mach dir keine Hoffnungen.*

Ich schaffe es ja nicht einmal, eine anständige Feministin zu sein, weil ich nicht weiß, wie man sich weiblich den Kopf zerbricht. Der kleine Zoo, bestehend aus exotischen, eingezäunten Frauenthemen amüsiert die Betrachter nur, besonders wenn die kostbaren Exemplare aufeinander losgehen. Als ich den Kopf hob, lachte mich Elise von der gegenüberliegenden Tischseite an.

Hast du ihm das Kochen beigebracht? fragte sie. Ich schüttelte den Kopf, traurig und gleichzeitig dankbar, daß sie mir etwas so Handfestes zutraute. *Es schmeckt sehr gut,* sagte sie zu Edmond gewandt und berührte flüchtig seine Hand. Irgendwie wirkten ihre grau-grünen Augen immer ein wenig belustigt, obwohl sie sich nicht die geringste Mühe gab, den sarkastischen Alleswisserton anzuschlagen, der bei solchen Gelegenheiten als angebracht galt (und der mir, wie bei einem stimmbrüchigen Halbwüchsigen, einfach entwich und meine andere Stimme übertönte). Elise aß, trank, unterhielt sich mit einer Gelassenheit, die an eine bewegungslose Wasseroberfläche erinnerte. Alle, selbst die am weitesten entfernt Sitzenden, wandten sich an sie. Ich erinnere mich nicht daran, was sie sagte, nur daran, *wie sie es sagte*: bestimmt, unaufgeregt, ein wenig gleichgültig, mit langen Pausen, die sie zum Kauen und Trinken benützte. Sie aß ihren Teller makellos leer, wischte ihn mit Brot nach und lehnte sich zurück, zum Zeichen, daß alles in Ordnung sei. *Ich muß gehen,* sagte sie zu Edmond gewandt, *mein Kind wartet. Ich danke dir für die Einladung.* Sie erhob sich, küßte ihn wie zur Begrüßung, winkte uns zu, lächelnd, aber schon abwesend, und ging. Ihr Haar glänzte unter der Eingangslampe noch einmal kurz auf, dann war sie verschwunden.

Die Verkündigung hatte stattgefunden.

Meine Hand zitterte, als ich das Glas hob, Edmond zuzutrinken. Auf was? Das Ausreißen von Seiten ist verboten. Gez. Der Textvorsager. *Cheers.*

Erzählzeit

Beliebtes Folterinstrument aller Deutschlehrer, bei der täglichen Buchautopsie. Ich möchte die Bestattungs-rituale niemandem vorenthalten, sowenig wie die ge-konnte Konservierungsakrobatik, die das präparierte Holz vollbringt. *Erzählzeit* also. Man könnte natürlich auch einfach damals und heute sagen. Aber die Germa-nistik ist schließlich eine Wissenschaft.

Der Putsch gegen Gorbatschow liegt Jahre zurück. Es gibt ungefähr zweihundert neue Länder, in die man seine Einsamkeit reisenderweise transplantieren kann. Dafür sind viele Währungen abgeschafft, das Ver-schwenden ist dadurch übersichtlicher geworden. Der Buddha, mein Computer und ich sind seit dem siebten Monat meiner Schwangerschaft in einem Münchner Krankenhaus, wo wir gemeinsam auf mein Kind war-ten, dessen Ungeduld, auf die Welt zu kommen, von mir absoluten Stillstand verlangt. *Ruhigstellung bei vor-zeitigen Kontraktionen* nennen die Mediziner das. Nur meine Finger dürfen sich bewegen und die Vergangen-heit in ausbruchsichere Zeilen sperren. Auf der Fenster-bank steht seit einer Woche ein Weihnachtsstern, Ad-vent, jawohl, vielleicht steht sogar eine Zwillingsge-

99

burt von Buch und Kind ins Haus, wenn der Zensor es gestattet. (Leider ließen sich Monate und Kapitel nicht koordinieren, der Buddha schmollt aus diesem Grund, weil er Symbolik über alles liebt, von Berufs wegen.) Meine Mutter beklagt die Abwesenheit eines Vaters, die Vorweihnachtszeit dämpft ihren Groll.

Es ist gut, daß das Kapitel über Elise abgeschlossen ist (wenn es auch nicht gerade ein Exempel gelungenen Exorzismus darstellt), denn der Wehenmonitor zeigte an, daß es uns nicht bekommt, zuviel über sie nachzudenken.

Der Winterhimmel draußen präsentiert sich in niedlichen Neugeborenenfarben, ein blasses Hellblau, mit rosa geränderten Wölkchen. Vielleicht verfügt die II. Gynäkologische Abteilung (Ante partum) über einen guten Draht zum, sagen wir mal, lieben Gott, oder dem Bühnenrequisiteur (glücklich, Post partum), der ein optimistisches Transparent zum Zeichen seiner Verbundenheit ausleiht.

Wie dem auch sei, es gibt noch genug des guten Ozons, hoch oben in der Stratosphäre, um ein Buch fertigzuschreiben. Radio Liberty/Radio Free Europe kann also nach wie vor seinen wichtigen, friedenssichernden Aufgaben nachgehen, ohne das ehemalige Militärlazarett, in dem es untergebracht ist, räumen zu müssen, um es seiner ursprünglichen Verwendung (diesmal für die im Ozonloch Außer-Atem-Geratenen) wieder zuzuführen.

Die Erzählzeit ist auch keineswegs heißer geworden; der Treibhauseffekt macht sich, wenn überhaupt, in den überdüngten Politikerköpfen breit, die ihr Glashaus nur noch ungern verlassen. Wenn ich blind bin auf einem Auge (oder beiden), dann deshalb, weil mir der Buddha das andere zuhält – ganz normaler Konkurrenzkampf.

Zwischen der erzählten und der Erzählzeit – damals 1991 und jetzt 1999 – hat Edmond eine Familie gegründet, zahllose Essen mit Hingabe bereitet, mich einmal im Jahr angerufen und ein paar Haare verloren. Ich habe eine respektable Stelle erhalten, *Brotzeit* sagen gelernt und den Buddha ertragen.

Es gibt Vollwertkost in der Erzählzeit, von einer freundlichen Krankenschwester mit Mundschutz gebracht. Alle Krankenschwestern tragen jetzt einen, das macht ein Gespräch naturgemäß schwierig, und damit wird die Einstellung nicht deutschsprachiger Helferinnen, die nicht so genau auf den Lohnzettel schauen, erfreulicherweise unproblematischer. Man tauscht ein Augenlächeln aus und gestikuliert (Ausnahme: Armbrüche). Aber bevor ich mich mit genau abgewogenen Proteinen stärke, werde ich die *Exit*-Taste betätigen, die mich zurück in die Vergangenheit katapultiert, vorausgesetzt, daß ich bekenne: *I want to save the document, yes.*

Eiszeit

Nach dem Essen war Edmond böse auf mich. Er warf mir vor, daß ich arrogant sei, dünkelhaft und herzlos. Ich hätte mich um niemanden recht gekümmert, geschweige denn bemüht. Als wären alle nur die Garnierung auf dem (wer weiß wie vollen) Teller!

(*Punkt, Komma, Strich*, sagte der Buddha hämisch, *alles tanzt nach meiner Pfeife.*) Mit hängenden Armen stand ich da, wie eine Marionette, die darauf wartet, daß ihre Fäden wieder gestrafft werden, und ließ mich schelten. *Sei doch einfach du selbst! Ohne ständig den Leuten das Stethoskop auf den Kopf (oder sonstwohin) zu setzen, als sei nur ihre Grammatik verwertbar! Ich bin kein Lesestoff! Kommafutter! Lieferant von Fragezeichen!* (*Aber dafür von Ausrufezeichen*, warf der Buddha ein.) Ich schwieg.

Edmond spülte ab, ich konnte an seinem Rücken sehen, wie zornig er war; die Muskeln spannten und lockerten sich in rascher Abfolge. Ich legte meine Hand zwischen seine Schulterblätter, spürte, wie seine Wut verebbte. *Ich meine aber dich*, sagte ich und hatte das Gefühl, nach Worten schnappen zu müssen. Edmond drehte sich kurz um, schaute mir voll in die Augen, so tief, als schlüge sein Blick in mir ein und bannte mich an diesen Fleck. Verwunschen oder verwünscht, dachte ich (und kann es nicht lassen). *Es ist schon wieder gut,* sagte Edmond wie zu einem Kind und zog mit seinen roten, nassen Händen mein Gesicht nah zu sich heran. *Laß uns einen Spaziergang machen.*

Es ist wahrhaftig nicht so, daß ich künstlich Spannung erzeugen will, aber ich war damals überzeugt, daß wir gerettet waren. Durch Edmonds magisch-beruhigenden Zuspruch, durch meinen Vorsatz, nichts mehr zwischen uns kommen zu lassen, nicht einmal die dünnste Seite. Arm in Arm gingen wir durch Edmonds Viertel, begegneten einigen Hundebesitzern mit Schaufel, Besen und Zeitungspapier und sprachen über Jeeps. Ja, Jeeps mit Allradantrieb und deren Vorzüge auf bergigen, unwegsamen Straßen in Edmonds Heimatdorf (sein Vater benützte sie zum Leichentransport), sprachen von *chili con carne,* das Edmond mir versprach, beim nächsten Mal zu bereiten. Ich erzählte ihm, wie sehr ich Pferde liebte, und daß ich Reitstunden nehmen wollte. Ich fühlte mich, als hätte ich die Wände einer dunklen Höhle abgetastet und endlich einen Begriff davon erhalten, wo ich war. Ohne Spiegelbild. Der Spaziergang war lang, und wir redeten ununterbrochen. Ich bewahre die Erinnerung daran stillschweigend, denn Seifenblasen sind, wie jede andere Illusion, kurzlebig.

Aber letzlich ist Echos Liebe zu Narziß nicht zum

Verstummen zu bringen, sie *muß* von ihr sprechen: Das ist ihre Strafe und gleichzeitig ihr größter, ihr einziger Wunsch. Das Unglück ist, daß ihr dies ebensosehr zum Beweis ihrer Wahrhaftigkeit gereicht, wie es diese zu widerlegen scheint.

Es begann sacht zu schneien. Die Schneeflocken schmolzen auf unseren Lippen und schmeckten leicht metallisch, als hätten sie sich eine Weile von einem Flugzeugflügel tragen lassen, bevor sie sich zum freien Fall entschlossen. Die Madonnen und die Heiligen trugen schon kleine Schneekronen, nur in der Nähe der elektrischen Kerzen blieben die Flocken nicht liegen, sondern rannen wie Tränen die Kunststoffwangen herunter. Mir wurde warm ums Herz in der Eiszeit. Der Buddha war beschäftigt, seinesgleichen – besagte Vorgartenheilige und Madonnen – zu studieren. Ich wünschte mir sehnlichst dazuzugehören, zu irgendeiner Gemeinschaft, und sei es der der Vorgartenheiligen oder der Belcantoliebhaber. Mit dem Finger berührte ich die zarte Schneeschicht auf der Sitzfläche des Stühlchens, das draußen vergessen worden war. Ich konnte der Versuchung nicht widerstehen und malte unsere Initialen auf die Rücklehne. Edmond küßte mich und zog mich weiter, noch bevor sie beginnen konnten zu tauen.

Er lud mich ein zu bleiben, und wir umarmten einander unter Liebesschwüren, die der katholischen Idylle alle Ehre machten, und der Regie des Buddhas auch.

Am nächsten Morgen lag der Schnee noch und festigte den trügerischen Frieden. Wir bereiteten unser Frühstück und bedienten einander mit der liebevollen Aufmerksamkeit eines glücklich gemeinsam gealterten Paares. Es war mir vollkommen gleichgültig, wie ich aussah; im Gegenteil, zu wissen, daß ich mit ungeschminktem Gesicht und zotteligem Frotteemantel (von Edmond) nicht gerade verführerisch wirken konnte, erhöhte meine Zuversicht. Solch eine Verkleidung verheißt Intimität, und die Schuppen, die Edmond auf die Schultern rieselten, als er sich, in die Zeitung versunken, am Kopf kratzte, stimmten mich unerklärlich euphorisch. Mitwisserschaft der Schwächen: ein starkes Band.

Eine Woche vor Weihnachten. Vor hundert Jahren, rechnete ich aus, wurde meine Großmutter (die mit der Schürze) geboren, in irgendeinem entlegenen Teil des damaligen Ostpreußen, wo man in tiefverschneiten Wäldern, die nach der nahen Ostsee dufteten, Elchen begegnete. Eine Weile folgten sie dem Glockengeläut des Schlittens, in dem meine hochschwangere Urgroßmutter die Wehen einsetzen spürte. Es war ihr sechstes Kind, und es ging so schnell, daß sie ihre Tochter erst bemerkte, als diese im warmen Fußfellsack schon zwischen ihre Füße geglitten war. Neva, Schnee, wurde sie getauft, dank der mangelhaften Kenntnis der italienischen Sprache ihrer Mutter, die glaubte, es gäbe nur a- oder o-Endungen. Zum ersten Mal hatte ich das Gefühl, daß Edmond eine meiner Geschichten gefiel, und als ich erwähnte, daß besagte Großmutter Neva mich *Marjellchen* rief, lächelte er und wiederholte den Namen staunend, als enthielte er die ferne Landschaft.

Das Telefon läutete und unterbrach meine Erzählung; Edmond ließ meine Hand los und stand auf. Es war Elise. Sie dankte ihm anscheinend für das Abendessen, denn er sagte, daß es ihm gar keine Mühe bereitet hätte, im Gegenteil, er koche gerne usf. Er legte den Hörer ab und kam zurück an den Tisch: *Elise fragt, ob wir übermorgen zu ihr kommen möchten, sie und einige Freunde musizieren zusammen.* Ich nickte, mein Kopf bleischwer von trüben Gedanken, und Edmonds heitere Zusage im Nebenraum schürte meine Panik. Ich war nicht eifersüchtig; ich hatte Angst. Würde sie singen? Wer eine schöne Stimme hat, verfügt über eine unleugbare Gabe – im Gegensatz zu Berufungen, die sich auf Papier abplagen und ihr Talent und die Berechtigung ihrer Äußerung unaufhörlich mit denselben Mitteln bezweifeln, mit denen sie sie letztlich belegen wollen: ein erschöpfender Vorgang.

Singen dagegen, scheint mir, ist immun gegen Skepsis, der eigenen und fremden Ohren; es trifft ohne Umweg in einen Teil unseres Körpers und Hirns, der sich lustvoll ergibt. Protest und Kritik profilieren hier niemanden, die Widerstandslosigkeit ehrt und zeugt von Kunstverstand.

Marjellchen, wiederholte Edmond sanft, und seine

schattigen Augen musterten mich neugierig. *Was hast du?* Ich wehrte ab, lächelte, stand auf, um ihn zu umarmen. Die krausen Haare kitzelten mich durch seinen Schlafanzugausschnitt an der Wange, ich öffnete den obersten Kopf und kämmte mit gespreizten Fingern durch ihren knisternden Widerstand. Edmond schob den schweren Frotteemantel über meine Schultern, er glitt, nur vom Gürtel gehalten, bis zu meiner Taille. In der glitzernden Wintersonne Brooklyns, die durch das mannshohe Fenster brach, sah man, wie jedes einzelne Härchen sich in Erwartung der Liebkosung aufrichtete. Als Edmonds warme Hand darüberstrich, schmiegten sie sich zurück an die rosa durchblutete Haut, als böte diese jetzt ein besseres Unterkommen.

Das Grübchen des Buddhas vibrierte, die Fußsohlen waren wie im Gebet einander zugewandt. Ich übersah die Regieanweisungen geflissentlich. Auf dem warmen, nicht besonders sauberen Flokati aus Edmonds Studententagen schliefen wir in einem Sonnenkegel (kreisrund wie ein Nest) ein, die große Kapuze des Bademantels über beide Köpfe gestülpt. *Siamesische Zwillinge, die sich einen Kopf teilen*, spottete Edmond, und ich freute mich.

Das Cello

Eine kleine Blutpfütze hatte sich auf dem weißen Flokati gebildet, Leila-Schneeweißchen-Rosenrot. Edmond sagte: *Du hast dich verewigt* und streute Salz darauf. Die Sonne war längst in anderen Fenstern, ein Flugzeug malte Spuren am hellgrauen Himmel, ähnlich dem Rinnsal entlang meines Beins. Ich stand auf, humpelte gebückt vor Krämpfen ins Bad und ließ mich von dem warmen Wasserstrahl massieren, der aus dem amerikanisch proportionierten Duschkopf – etwa so groß wie ein Männerhut – prasselte, bis ich die Schmerzen nicht mehr spürte. Ich probierte Edmonds Kamillenseife und sein Shampoo; es war merkwürdig, mich mit seinen Gerüchen zu verkleiden, eine Tarnkappe, ein unsichtbarer Leim, der ihn morgen an mich fesseln würde.

Ich hob mein Gesicht und stellte auf nadelspitzendünnen Strahl um; meine Lider fühlten sich tatsächlich wie durchstochen an, es war kaum auszuhalten. In entsprechenden Filmszenen (kurz vor dem Mord oder Beischlaf) scheint diese Art der Reinigung fast eine Ekstase in den Frauen auszulösen, und wenn sie sich mit ihrem straff zurückgeduschten Haar in schneeweiße

Tücher hüllen, ist es nur zu verständlich, daß sich Mörder und Liebhaber nicht länger beherrschen können. Als ich aus der Dusche stieg und einen Blick in den Spiegel warf, war mein Gesicht krebsrot von der Hollywoodbehandlung, und mein Körper dampfte, als sei er gar. Edmond trat ein, mordunlustig, und reichte mir ein Glas Wein. *Ich koche*, verkündete er. *Siehst du*, sagte der Buddha, *alles halb so schlimm. Du bist jung, du bist in New York, das Flugzeug ist nicht abgestürzt, du hast einen Mann, der für dich kocht, und Sorgen, die nicht der Rede wert sind. (Ein gebrochenes Bein wäre es.) Zwischen deinen Fingern wächst keine Schwimmhaut, du hast keinen Buckel und keinen Klumpfuß und was sonst noch so alles in deinem Bücherschrank steht. Die Defekte, die Handicaps machen das Individuum aus? Unterscheiden es von der Masse? Solche Behauptungen gehören in die Mottenkiste der Jahrhundertwende, Kriegspessimismus, Professorengeschwätz. Ich bin der Herr B., für Besserwisser oder Bauchredner; ich sitze auf dem einzigen Leerstuhl, der Bedeutung hat.*

Der Buddha schwieg, nur sein Bauch wackelte wie bei einem Nachbeben, denn er war zornig; der lachende Mund zeigte gefletschte Zähne. Es ist immer wieder schwer zu glauben, daß auch Zyniker (Zunicker) dicke Bäuche und ein Kinderlächeln haben. Zynismus ist ungeheuer verlockend, denn er paart Durchblick mit Nichtstun, und der Applaus der anderen Nichtstuer ist so garantiert wie rauschend. Ich weiß, ich weiß; manchmal sind sie auch blond und haben ihre Tage.

Ich zog ein Hemd von Edmond über, parfümierte mich mit seinem Aftershave (hinter den Ohren, um den Buddha zu ärgern) und trug mein Glas an den gedeckten Tisch. Edmond hatte eine Schallplatte aufgelegt; ich sah ihn durch die halboffene Küchentür schwarze Bohnen auf Reis schütten, er war barfuß, in Boxershorts, weiße diesmal, ein zu heiß gewaschenes, geschrumpftes T-Shirt bedeckte seinen flachen, muskulösen Bauch nur bis kurz oberhalb des Nabels, so daß der feine dunkle Flaum sichtbar war. Musik, Kerzenlicht, ein sorgfältig gedeckter Tisch – die Inszenierung des Paarseins war so perfekt, daß ich Boden unter den Füßen zurückgewann. Nicht daß ich es als falsch oder verlogen angesehen hätte (wie die Wortwahl vielleicht suggerieren könnte), nein, einfach nur als choreographiert und damit faßbarer, sicherer. Ich entspannte mich und fragte, ob Elise singen würde. *Sie spielt Cello*, erwiderte Edmond und prostete mir zu. Es schmeckte gut, heiß und scharf, und ich fühlte, wie der Hunger einer großen Zuversicht wich. Edmond sah mich an, als ich zum dritten Mal meinen Teller füllte. *Ich habe noch nie eine Frau gekannt, die so viel essen konnte*, sagte er anerkennend. Als ich aufschaute, fügte er hinzu: *und dabei schlank war.* Ich lachte, wischte mir die Soße vom Mund, und wir tanzten. Rund um den Fleck.

Edith Piaf sang *A quoi ça sert l'amour?* im Charleston-Takt. Ich kann nur sagen, daß Edmond hervorragend tanzte, ohne die geringste Verlegenheit; wie immer wenn er irgend etwas Körperliches tat. Er war flink, musikalisch und einfallsreich. Bei dem schrägen, triumphalen Trompetenfinale des Chansons (die Liebe siegt selbstverständlich über die Skepsis) sanken wir erschöpft auf unsere Stühle. Noch ein Foto für das Album, und mit jedem Bild mehren sich auch die weißen Zwischenräume. Im Blitzlicht meiner Erinnerung sehe ich Edmond schweißgebadet, das kurze Hemd naß, schnell atmend. Er lacht, wischt sich mit dem Unterarm das Gesicht ab bis hoch in die Stirn, daß die Haare hochstehen wie beim jungen Trotzki. Er ist schön.

Hier, in meinem pränatalen Krankenhausbett, weiß ich nicht zu sagen, ob die Schmerzen Wehen oder Nachwehen sind.

Ich habe zwölf Zeilen übersprungen. Die Kontraktion war so stark, daß meine Finger sich mitverkrampften, ihren Dienst verweigerten. Ein Beispiel für die unerzählte Zeit, deren Territorium mit jeder Zeile bedroht wird, wie die erwähnten weißen Zwischenräume im Erinnerungsalbum. Das beredte Schweigen der unerzählten Zeit – ach, Murks –, ich drücke mich ja nur. In der Regel wird schwangeren Frauen Glauben geschenkt, eine gute Zeit für altruistisches Handeln (zum Wohle des Kindes, der unbeschriebenen Seite).

Als ich klein war, *Marjellchen* genannt wurde, wollte ich einen Inder heiraten und ein hellbraunes Kind mit ihm zeugen. Das Kind sollte ein Sohn sein und später Tänzer werden. Eine dunklere Version von Nijinski, möglichst wahnsinnig und schwul. Mit zwanzig traf ich einen Inder, genauer gesagt Sikh, der so herzkrank war, daß er nicht einmal die Treppen zu meiner Wohnung herauf schaffte. Die riesige Narbe auf seinem Brustkorb, die aussah wie ein Reißverschluß, mußte jeden Tag eingerieben werden. Ich tat das, und manchmal liebkoste ich ihn, voller Angst, sein Herz zu schwächen, aber er beruhigte mich und sagte, daß ihm Aufregung gut tue. Die Metamorphose eines Traums. Heute bin ich froh, wenn mein Kind zehn Finger hat und das Leben liebt – ist das Zunahme an Weisheit oder Einfallslosigkeit?

Genug dergleichen, der Buddha ruft mich zur Ordnung (er ist auch großzügiger unter diesen Umständen)

und schickt mich zurück an den Tisch, in der Brookly-
ner Wohnung. Er hat eben Sinn für Kohärenz.

Wir saßen also erschöpft am Abendbrottisch und
küßten uns verliebt zu den Klängen des letzten Lieds
auf der Platte *Mon dieu*. Der Geliebte stirbt und Edith
betet stimmstark, *Laisse-le moi encore un peu*. Laß ihn
mir noch ein bißchen: zwei Monate, einen Monat,
einen Tag.

Meine Augen sind naß. Das ist Kitsch. Längst ist
alles über Kitsch gesagt, es ist das Arbeitsgebiet mancher Schriftsteller geworden, man fertigt Expertisen
an, gewissermaßen. Ich will mich natürlich nicht in
irgend jemandes Kompetenzen mischen, aber angesichts der Tatsache, daß Kitsch ein so mächtiges und
folgenreiches Gefühl (Gefühl?) ist, sind wohl ein paar
Stellungnahmen erlaubt. Die Versuchung, kitschig zu
sein oder sich dem Kitsch auszuliefern, ist groß, weil er
starke Reaktionen (Tränen, Gänsehaut, Weltliebe) hervorruft. Noch schöner ist es, sich nah an ihn heranzu-
wagen und schon mit halb aufgerichteten Härchen den
Rückzug anzutreten. Bis zum *Kit-* gleichsam, das sinn-
liche, vollippige *-sch* aufsparend, nur kurz mit der
Zunge berühren, bevor man lacht und *ich doch nicht*
sagt. Kitsch ist also schon rein phonetisch gesehen eine
Verführung, kein Wunder, daß sein Laut in mehrere
andere Sprachen übernommen wurde. Kitsch ist selbst-
reflexiv, man ist über sich selbst gerührt und betrachtet
sich dabei in dem höchst unscharfen Spiegelbild, das

der Kitsch entwirft: für alle gleich. Wie die Schablonen aus Pappmaché, in die man nur den Kopf stecken muß, und schon ist man Lady Chatterley. Was macht man bei einem akuten Anfall von Kitsch?

Man zieht sich an, schlendert Hand in Hand zur *subway*, geht in Manhattan in einen Buchladen und kauft sich die Fortsetzung von *Gone With The Wind*. Ich legte mich mit dem Zwei-Kilo-Märchenbuch ins Bett und überfraß mich. Sodbrennen vom Kitsch bescherte mir eine schlaflose Nacht, hin- und hergerissen von dem Wunsch, einerseits die Ursache des Übels abzuschaffen und andererseits der Sucht nach noch mehr Harmonieversprechen und Die-Welt-ist-schön-Zuversicht nachzugeben. Am nächsten Morgen verstieß ich Rhett und Scarlett und bekannte mich zu meinem Kater. Edmonds Vermieter freuten sich über das vorzeitige Weihnachtsgeschenk.

Ich kaufte eine rosa blühende Azalee für Elise. Sie wohnte in *Washington Heights*, der nordwestlichen Ecke Manhattans. Der Wind pfiff uns um die Ohren, als wir die Treppen der *subway* heraufstiegen. Wir begegneten einer Gruppe alter Damen, die sich auf jiddisch unterhielten. Sie hatten ihre Münder großzügig und farbenfroh geschminkt, unsichtbar gewordenen Konturen ihrer Jugend folgend. Einige hatten kleine Hündchen an der Leine, die trotz wollener Ponchos vor Kälte zitterten. Sie wurden nach verrichteter Arbeit resolut unter die abgeschabten Pelzmäntel geschoben und leisteten den in der Armbeuge hängenden Henkeltäschchen Gesellschaft.

Elise wohnte in einem backsteinfarbenen, achtstöckigen Gebäude der zwanziger Jahre. Die Lobby war pompös-dekadent, mit roten, abgetretenen Läufern und schummrigen Lampions. Der Stuck an der Decke bröckelte prächtig. Im Aufzug roch es nach Haarspray, Parfüm und nassem Tierfell. Elise stand in der offenen Tür, hinter ihr ein etwa fünfjähriges Mädchen, das die schön geformten Augenbrauen seiner Mutter hatte. Beide lachten uns an, Elise sagte, *Kommt herein, ihr seid die ersten*, und führte uns in ein großes Zimmer, das zur Hälfte von einem Klavier und zwei darum angeordneten Stühlen mit Notenständern in Anspruch genommen wurde. Sie stellte ihre Tochter vor: *Louise*.

Louise aß Kartoffelchips und musterte uns. Nach kurzem Überlegen schien sie beschlossen zu haben, daß wir des Angebots würdig seien, und bot uns welche an. Edmond fragte sie, ob sie tanzte, weil sie Ballettschuhe trug. *Ja*, erwiderte sie, und drehte eine Pirouette mit anschließendem Knicks.

Elises Wohnung war bedrohlich schmucklos; ich meine, es gab wenig, das sie verriet, das Angriffsflächen bot. Ein paar von Louise gemalte Bilder hingen in der Küche, in die ich Elise gefolgt war, um ihr meine Hilfe anzubieten. *Es gibt nichts Warmes*, wehrte sie ab und deutete auf bereits vorbereitete Platten mit Aufschnitt und kleingeschnittenem Gemüse, das man in alle möglichen *dips* tunken konnte – ein sehr beliebtes Gesellschaftsspiel in den USA, bei dem es sich vortrefflich über den Cholesterinspiegel plaudern läßt.

Wie schon beim letzten Mal fühlte ich mich befangen und willkommen zugleich. Elise war ruhig, obwohl es ständig klingelte und sie häufig hinaus mußte, die neuen Gäste zu begrüßen. Sie fragte mich nach meinem Buch, hörte sich meine fahrige Auskunft kommentarlos, aber freundlich an. Ihr Haar war zu einem dicken Zopf geflochten, ich war versucht es anzufassen, so verlockend war sein warmbrauner Schimmer. Natürlich wagte ich es nicht.

Was werdet ihr spielen? erkundigte ich mich. *Haydn, Schubert, Brahms*, sagte sie. *Die Trios. Kennst du sie? Brahms Nr.2 C-Dur?* fragte ich zurück; sie nickte und schien zufrieden, einer interessierten Zuhörerin sicher sein zu können. Wir gingen gemeinsam ins Wohnzimmer. Edmond hatte Louise auf dem Schoß und unterhielt sich mit ihr über ein Walkie-talkie. Sie hielt ihren gegen das Ohr gepreßt und schrie, als sie an der Reihe war, eine Handbreit von Edmond entfernt mit voller Lautstärke ins Mikrophon: *Kannst du mich hören?* *Ja!* brüllte Edmond zurück, und im wohlwollenden Gelächter der anderen stellte ich mich hinter seinen Stuhl und hielt mich an seinen Schultern fest. Die drei Musiker setzten sich. Eine blonde Frau spielte die Violine, Santiago (wer hätte das gedacht! Meine Voreingenommenheit hatte ihn falsch eingeordnet) am Klavier.

Einige der Gäste standen, aßen und unterhielten sich. Während die Instrumente gestimmt wurden, legte sich die Unruhe. Sie begannen mit dem Haydn G-Dur-Trio. Elise trug einen weiten Rock, der ihr Cello umgab wie ein Bühnenvorhang. Sie hielt den Kopf seitlich geneigt, der Zopf war halb über die Schulter gerutscht und sah aus wie ein samtenes Tierchen. (Meine Großmutter besaß so einen Schal, der in den Kopf des Nerzes oder Otters mündete.) Ich spürte an Edmonds Muskelanspannung, daß er konzentriert zuhörte, sein Kopf war zu ihr gewandt. Der tiefe, schmeichelnde Klang des Cellos drang mir in die Knochen, nahm mir die Stimme. Eine Widerrede. Ohne Zorn und ohne Hast. Bestimmt und weich. Ich kauerte mich wie immer, wenn ich mich schwach fühlte, in die Hocke, weil meine Knie der Überredung zuerst nachgaben. Louise saß im Schneidersitz auf der anderen Seite des Stuhls zu Edmonds Füßen, beide schauten Elise gebannt zu, wie sie ruhig den Bogen führte, ab und zu den anderen Musikern zunickte, die Noten umblätterte.

Das Cello paßte zu ihr: solide, unkapriziös, aber durchaus vielstimmig, klangbreit. Es hatte Bodenkontakt, war standfest und doch fragil. Ich schaute zu Edmond auf; es sah aus, als machte ich mir seine Gedanken. Seine dunklen Augen waren auf Elises Gesicht geheftet, das Kinn in die Hand gestützt, um noch größere Konzentration zu erreichen. Beim letzten Bogenstrich des ersten Satzes hob Elise ihren Kopf und lä-

chelte ihn an. Nur ihn. Und Edmond tat etwas Ungewöhnliches: Er applaudierte – mehr pantomimisch als
wirklich, mit erhobenen Armen. Sie dankte mit einem
leichten Nicken. Der zweite Satz, aufrührerisch und
bewegt, klopfte gegen meine Schläfen, als wolle er mir
etwas einhämmern. Ich mußte die Augen schließen.
Als ich sie wieder öffnete, waren alle aufgestanden, um
zu klatschen, und Santiago kündigte Schubert an. Ich
erhob mich, schloß mich einem kleinen Grüppchen
Hungriger in der entlegensten Ecke des Raumes an und
erstickte die Lust zu schreien mit einem reichlich beleg-
ten Thunfischsalat-Sandwich. Ich hatte Wangen wie
der Buddha. Der Mayonnaisegeschmack hatte das Ver-
führerisch-Tröstliche alles Fetten (incl. Buddha), an
dem sich die Verschmähten weiden, weil es naturgemäß reichlich ist – ganz im Gegensatz zu der gerade
durchgemachten Erfahrung des Entzugs und der
Rationierung.

Ich drücke die Taste *reveal code*: Der Computer offen-
bart mir die Anatomie der Liebesgeschichte: *hard break*
am Zeilenende, harter Bruch (Herzbruch, lästert der
Buddha). Es gibt auch einen *soft return* – beim nächsten
Mal vielleicht. Wenn der Himmel voller Geigen.

Gedankenstrich

Ich suchte meinen Mantel unter den auf Elises Bett aufgetürmten Jacken der anderen hervor. Da wir die ersten gewesen waren, lag er zuunterst, und bei dem Versuch, ihn hervorzuziehen, rutschte der ganze Berg auf den Boden. Ein Buch von Cortazar lag auf dem Bett, auf dem Nachttisch ein Foto von Louise und einem Mann (ihrem Vater?), daneben ein Zettel mit Edmonds Telefonnummer, das Telefon selbst stand auf dem zweiten Nachttischchen des abwesenden Mannes. Nicht mehr lang, dachte ich in einem Anfall von Bitternis und Pathos. *Ich darf auch mal pathetisch sein,* sagte ich zu dem Buddha, noch bevor er eine sarkastische Bemerkung machen konnte. Aber sein Grübchen bewegte sich nicht.

Ohne mich zu verabschieden, ging ich unter Schubertschen Klängen aus dem Haus, schon gewärmt vom Trotz der Zurückgewiesenen. Eine Gruppe von drei jungen Schwarzen kam mir entgegen, zwei von ihnen sprangen übertrieben hastig zur Seite, um mich vorbeizulassen, so bestimmt und unbeirrbar war ich auf sie zumarschiert. Ich glaube nicht, daß sie vorhatten, mich zu überfallen, aber selbst wenn, hätten sie wohl an diesem Abend vor meiner gekränkten Sturheit kapitulieren müssen. Fünf Tage vor Weihnachten verlassen zu werden, läßt selbst einen Überfall zu einem unbedeutenden Ereignis schrumpfen. In meiner Wohnung in der Greenwich Street angekommen, machte ich mir einen Kamillentee. Die heiße Tasse mit beiden Händen umklammert, ließ ich den Dampf in mein Gesicht steigen und sich mit den Tränen vermischen. Es war vorbei, war es vorbei? Ich traute mich weder es zu glauben (weil ich zu prompt die Heilung einleitete und wehmütig genoß), noch daran zu zweifeln, aus Angst, mich leeren Hoffnungen hinzugeben. Es war Edmond überlassen, ich würde ins Bett gehen, Rimbaud lesen, das Alleinsein – kaum daß ich es zwei Stunden war – zur überfälligen Selbstfindung nützen. Der Buddha grinste: *Ich helfe dir.* Ich las zwei Stunden, ohne daß das Telefon klingelte. Ich träumte von Louise, die *O mein Papa* sang. Sie lief zu Edmond, der sie mit offenen Armen erwartete und eine übermütige Pirouette mit ihr drehte wie in einer Reklame für Lebensversicherung.

Mit dem Gefühl halber Genesung stand ich am nächsten Morgen auf. Ich beschloß, den ganzen Tag im Archiv zu verbringen. Den Gedichtband nahm ich mit in die *subway*, ich wollte mich durch nichts mehr von den mit allen Wassern gewaschenen *singles* von New York unterscheiden, die ihre heroische Einsamkeit mit allerlei Ritualen zelebrieren. Mit viel Übung errät man das Gesicht hinter dem jeweiligen Buchumschlag; das Buch ersetzt das anfängliche Lächeln, das zu atavistischen Zeiten Interesse signalisierte. So geraten Autoren unversehens zu Heiratsvermittlern, und das erste Kind erhält den Vornamen des Verfassers, der einen zusammenführte. Urheber im wahrsten Sinne des Wortes.

Der Buddha stöhnte: *Nicht einmal wenn du Kummer hast, kannst du das Lästern lassen! Besinne dich auf die Tugend des Erzählens. Ja, Tugend!* Der Bauch schwappte. *Glaube mir, ich sitze am Puls der Zeit, am Herzschlag des zeitgenössischen Lesers. Alle sind der bitteren Weltdurchschauung müde. Horaz! Delectare! Es geht schließlich auch um mein Ansehen.* Der Buddha schaukelte stärker und schwankte, als würde er gleich vom Sockel fallen. Mit großem Nachdruck setzte er hinzu: *Ich bin der Profi.* Ein Schulterzucken schien mir der Antwort genug; ich vertiefte mich in mein Buch und betrachtete die Schuhe der vor mir Stehenden. Es machte Spaß, von den Schuhen auf den Träger zu schließen und durch einen kurzen Blick nach oben die Übereinstimmung von Annahme und Wirklichkeit festzustellen. Am Lincoln Center stieg ich aus, ein kräftiger (wie vom Buddha zur Ernüchterung bestellter) Wind wehte zugig um den Goldwyn-Mayer-Turm und trug mich fast über die Kreuzung. Meine Augen tränten. Im Archiv war es stickig und staubig. Ich ließ mir kistenweise Fotomaterial bringen, legte mein Heft parat, die Nummern zu notieren, und schaute mir gußeiserne Architektur der Jahrhundertwende an. *Fensterln konnte man da gut*, sagte der Buddha kichernd, als er die Feuerleitern sah.

Die Mittagspause verbrachte ich damit, mir von Kollegen sagen zu lassen, wie schlecht ich aussähe: immerhin. Wenigstens ist die Abwesenheit von Liebe sichtbar.

Zu Hause blinkte das Licht des Anrufbeantworters zweimal auf. Ich fragte mich, wer der zweite Anrufer sein könnte, und versuchte mein Herzklopfen zu ignorieren. Erst mit einem Glas Bier in der Hand und eingeschaltetem Fernseher fühlte ich mich dem Abschied gewachsen. Ich drückte die Abruftaste. Meine Mutter hatte angerufen, und wie immer viel zu früh mit Sprechen angefangen, so daß die Hälfte ihrer Klage über Anrufbeantworter verschluckt worden war. *Laß von dir hören*, mahnte sie, als wolle sie die ersten drei Minuten (Pauschalpreis) nicht völlig sinnlos verstreichen lassen.

Ja, bald, sagte ich in die ersten Worte Edmonds hinein.

Warum bist du einfach weggegangen? War dir nicht gut? Ich treffe dich heute abend in dem kleinen Café in der Cornelia Street. Um acht. Ich habe eine Überraschung für dich. Ich schlug die Hände vors Gesicht vor Glück. Edmond hatte mich nicht verlassen. Ich hatte wie ein schlechter Leser das Umblättern nicht abwarten können und das Buch zugeschlagen. Ich zog mich aus, lief ins Bad, stellte die

Dusche an. Ingrid Bergman in *Lieben Sie Brahms?* benimmt sich ähnlich lächerlich, wenn sie sich kindlichselig irgendein scheußliches Kostüm von dem Dienstmädchen bereitlegen läßt und die erste Schicht Makeup schon aufgetragen hat, wenn der Anruf von Yves Montand kommt, in dem er sie zerknirscht wissen läßt, wie leid es ihm tut, wieder absagen zu müssen. Dann sitzt sie vor dem Spiegel und altert in wenigen Minuten bravourös. Ihr Gesicht nimmt die Züge einer Rotkreuzschwester an, und sie schlüpft in einen unerotischen Bademantel, der nach Rekonvaleszenz aussieht. In der Gesellschaft des dürrzöpfigen Dienstmädchens ißt sie ihr Armsündermahl. Ich dachte an all das mit dem Übermut desjenigen, dem so etwas nie passieren könnte. Ich trug einen dunkelroten Lippenstift auf, bürstete mein Haar, bis es so aufgeladen war, daß es waagerecht vom Kopf abstand, machte es wieder naß und schlüpfte in völlig winterungeeignete Schuhe. *Die Liebe macht Flügel*, sinnierte der Buddha, *wen kümmern schon die Schuhe*. Er war in seinem Element – endlich *passierte* wieder etwas.

Edmond saß mit dem Gesicht zum Eingang. Er strahlte. Er hielt einen Umschlag in der Hand, den er mir reichte, nachdem wir uns geküßt hatten. Der Buddha schmatzte mit den Lippen, als hätte er mitgeküßt. Im Umschlag befanden sich zwei Flugtickets, für den 23. Dezember, nach Montego Bay, Jamaica. Ich sprang so schnell auf, daß der Stuhl umkippte und

Edmonds Kaffee überschwappte, diesmal mit Fleck. Ich umarmte Edmond überschwenglich, unter dem Beifall der Tischnachbarn, und der Buddha flüsterte in mein Ohr: *Gedankenstrich!*

(locus amoenus)

Kristallklar und durchsichtig wie Gottfried von Straß-
burgs *minne* war das Wasser in Ocho Rios. *Durchluter*
nennt Gottfried diese Art von Transparenz; so wie bei
einem Lid, durch das die Sonne scheint und die Äderchen zum Leuchten bringt, und man sieht bei geschlossenen Augen. *Brrrrr*, unterbricht mich der Buddha. *Was
ist das für ein Anfang? Erzähl doch lieber, was ihr im
Flugzeug gemacht habt, unter der gemeinsamen Decke, in der
Dunkelheit des Bordkinos!* Wenn ich aber an Tristan und
Isolde denken muß? Ihr papiernes Schicksal mich be-
rührt wie mein eigenes? *Manchmal*, sage ich dem
Buddha, *wird ein Zauberer, der seine Tricks verrät, für noch
raffinierter gehalten.*
Ich wollte ja gerade erzählen – bevor mir Tristan
einfiel, der schließlich auch zum Inventar meines Lebens gehört, wie alles Gelesene und wie die Schürze
von Großmutter Neva –, daß Edmond schon am zweiten Tag ganz braun war und im Unterschied zu allen
anderen Männern am Strand eine unmodisch knappe
Badehose trug, statt der fahnenartigen, knielangen
Bermudas. Die Amerikaner trugen oft sogar noch ein
T-Shirt im Wasser und knöchelhohe Turnschuhe, die

125

sie nicht einmal *nach* dem Schwimmen ablegten. Wunder des Puritanismus. Wir lagen auf palmenbedruckten Handtüchern; manchmal streifte uns der Schatten eines Ananasverkäufers, der seinen schweren Korb auf dem Kopf trug und ihn ächzend neben uns abstellte. Je müßiger wir uns aalten, desto theatralischer wurde sein Auftritt: Er massierte sich unter Stöhnen den Nacken, wischte mit großen Gesten seine schweißnasse Stirn und bat dann mit erstickter Stimme um die Abnahme seiner Last – vier Kinder und eine Frau harrten seiner mit hungrig-erwartungsvollen Augen. (Ein Schwarzweißfoto diente als Beweis; als ich am vierten Tag nachfragte, wo denn das vierte Kind sei, stellte sich heraus, daß es seine Familie vor mehr als fünfzehn Jahren war – ihn sah man als Schulkind auf dem Bild.)

Die Ananas troff vor Saft, Edmonds Brusthaar kringelte sich unter dem klebrigen Sirup. Ich leckte, und die Mischung von Salz und Süße sengte meine Zunge wie ein frisches Brandzeichen. Ich zog Edmond mit mir ins Meer und ließ mich von seinem Kuß kühlen. Meine Hände umfaßten seine Oberschenkel, strichen über den glatten Trikotstoff der Badehose, streiften sie hinunter. Edmond drehte mich um, halb schwimmend, halb gehend schob er mich ins offene Meer. *Diesmal sind wir beide naß,* flüsterte er, seine Hände über meinen Brüsten, sein Mund an meinem Ohr, als wolle er mit mir verwachsen. Verwachsen: Das klingt nach Buckel, Gnom. Aber die Silhouette der Liebe ist eben nicht so gefällig und glatt wie die eines Buchs, das seine Kerben, Narben und Auswüchse in alphabetischer Folge zähmt und in die Disziplin der Seiten zwingt.

Gibt es einen Unterschied zwischen Edmonds über meinen Brüsten verschränkten Armen und Gottfrieds herzzerreißendem Chiasmus *swem nie von liebe leit geschach, dem geschach ouch liep von liebe nie?* Oder der durchgestrichenen Liebe, so: L̶i̶e̶b̶e̶?

Edmond schlief ein, kaum daß wir zum Strand zurückgeschwommen waren. Er hatte ein aufgeschlagenes Buch über das Gesicht gelegt, zum Schutz gegen die Sonne. Es lag brach wie ein abgestürzter Vogel. Bei nachlassender Sonne wurden die winzigen Frösche munter, die mit einer kleinen Drüse an ihrem Hals, die wie ein Blasebalg anschwillt und leicht die doppelte Größe ihres Körpers erreicht, vortrefflich für den Minnesang gerüstet sind. Die Musik ist betörend, um so mehr, wenn man weiß, daß sie nicht von ätherischen Kolibris erzeugt wird (wie der zirpende Klang vermuten läßt), sondern von diesen schwermütigen, plumpen, bis zur Selbstaufgabe häßlichen Verliebten. Ich schaute auf zu dem launischen, karibischen Himmel, der sich wie ein cholerischer Gott innerhalb von Minuten zornig bewölken kann, um ein paar Atemzüge später, nach kräftigem, ernüchterndem Regenguß, mit einem spektakulären Regenbogen die Rückkehr der guten Laune zu verkünden. Die kleinen Krebse, die sich während eines Schauers in eilig gebaute Nester

zurückgezogen hatten, verließen diese mit den ersten
Sonnenstrahlen sofort und wuselten eifrig in Richtung
Meer: Der ganze Sand geriet dadurch in Aufruhr, und
das Bild erinnerte mich an lächerliche Rückzugsmanö-
ver, während derer sich die Flüchtenden mit Laub und
Zweigen tarnen, als würden die wandernden Büsche
nicht nur ohne Aufsehen hingenommen werden, sondern auch Schutz gewähren.

Kommt man einer Sache auf den Grund, indem man
sie erzählt? Oder schafft das Erzählen die Illusion eines
Grundes? *Fest der Erzählung, du bist des Geheimnisses
Feierkleid*, befindet Thomas Mann zuversichtlich. Unsere Geheimnisse tragen bestenfalls Lumpen, nicht weil
sie weniger schön wären als ihre Geschwister, sondern
aus Kleinmut.

Edmond und der Buddha unterbrachen meine Gedanken: Edmond, der aufsprang und mich mit Sand
besprühte, weil er sich schüttelte wie ein Hund nach
dem Bad, und der Buddha, indem er wisperte:

*Kannst du es nicht einmal bei 90° Fahrenheit lassen? Bei
451° entzündet sich Papier von allein!*

Ich drehte mich auf den Bauch, ließ den Kopf auf
meine Unterarme sinken und meinen Rücken von den
schwachen Sonnenstrahlen wärmen. Meine Haut
spannte, Edmond berührte mich zwischen den Schul-
terblättern und sagte: *Du bist ganz rot.* Ich wandte mein
Gesicht zu ihm; in seinen dichten Augenbrauen hatte
sich Sand angesammelt und auf der Stirn das Buch

einen Abdruck hinterlassen. Ich folgte der Linie mit dem Finger, als wäre es Blindenschrift. *Gefällt dir das Buch?* fragte ich. *Cool!* antwortete er grinsend. Wir beschlossen, zum Hotel zurückzulaufen, uns zu duschen und essen zu gehen.

Der Weg dorthin führte durch die halbe Stadt, eine Weile liefen uns ein paar Ziegen nach, schnupperten neugierig und ließen sich nur durch das Hupkonzert der blockierten Autos verscheuchen. Jemand zog mich am Ärmel; als ich mich umwandte, stand eine Frau mit erhobenen Händen, in denen sie Kämme und bunte, perlenverzierte Schnüre hielt und lachte mich einladend an: *Zöpfchen?* An jeder Straßenecke spähten die Friseusen potentielle Kundinnen aus, große Kofferradios und spielende Kinder zu ihren Füßen. Die Utensilien steckten in den Taschen großgemusterter Kattunschürzen, und der Anschauung und Hitze halber trugen sie meist selbst ihr Haar in straffe Zöpfchen geflochten. Meine Friseuse hieß Betty, hatte wunderbare weiße Zähne, die sie beim Tanzen zu Reggae-Rhythmen lachend vorzeigte. Ich setzte mich mit dem Gesicht zur Lehne auf den Stuhl, Edmond ließ sich im Schneidersitz neben mir nieder. Betty hatte sich einen schattigen Platz ausgesucht, ein kleiner Spiegel war auf Augenhöhe an einem Ast des nahen Baums befestigt. In ihm konnte ich den Kiosk auf der gegenüberliegenden Straßenseite beobachten, wo Kokosnüsse und Ziegenfleisch am Spieß verkauft wurden. Eine Gruppe alter Männer hatte sich davor versammelt, sie lutschten Zuckerrohr, rauchten, diskutierten, gaben den Ziegen, die zu nahe kamen, kräftige Klapse auf die Hinterbacken. Empörtes Meckern.

Betty hatte angefangen, mit einem großzahnigen Kamm mein Haar straff nach hinten zu kämmen. Es tat weh, zum Trost pries sie die Farbe und Glätte meines Haars, stellte die Musik lauter, um mich abzulenken.

Verkleidet sich nicht auch Isolde, um Tristan ungestört lieben zu können? Gottfried überträgt die magischen Kräfte des Liebestranks, der Tristan und Isolde aneinanderkettet, auf seine *Wiedergabe* ihrer Liebe, sein Buch: Es wird zur Droge, der der Leser verfällt. Am Ende bilden er und der Text eine ebenso untrennbare Einheit wie das Liebespaar. Leser und Geschichte verschmelzen mit den Liebenden zu einer durch Eucharistie vereinigten Gemeinde der *edelen herzen* – Erzählen wird zur Speisung; es stillt einen durch es selbst erzeugten Hunger. Das Schwert, das zwischen Isolde und Tristan im Minnegrottenlager liegt, soll König Marke ihre Fremdheit belegen, so als zerschnitte es ihre Liebesgeschichte in zwei unleserliche Teile. Bei uns, Edmond und mir, scheint es das Buch selbst zu sein, das unsere Ferne verbürgt.

Ich schaute auf: Eine Jamaicanerin sah mir aus dem Spiegel entgegen (nur die rotverbrannte Haut stimmte nicht); die kleinen, bunten Zöpfchen luden zum Lachen ein, zum übermütigen Kopfschütteln. Befreit sprang ich auf, zog Edmond mit hoch und bezahlte Betty fürstlich. *Jamaica no problem*, sagte sie und tätschelte mir die Schulter. Damit es wahr würde, kaufte ich mir beim nächsten Straßenhändler ein T-Shirt mit dem gleichen Versprechen. Die ersten tropischen Tage waren schwierig: die Umstellung von Winter auf Sommer, die damit verbundene, viel problematischere des unter zahlreichen Schichten versteckten, in Vergessenheit geratenen Körpers auf äußerstes Körperbewußtsein, das einen wachsam jede Pore – eigene wie fremde – beobachten ließ. Die Üppigkeit der Vegetation, der Farben und Klänge schmerzte und regte an. *Ganz wie das Paradies*, neckte der Buddha, *genieße die Stunden vor der Vertreibung. Die Sehnsucht, daß es ewig dauere, gehört dazu. Ist es nicht eher von Vorteil zu wissen, daß jenseits der Palmen die Liebe aufhört?* Der Buddha konnte boshaft sein wie ein Intrigant, der hinter vorgehaltener Hand Gemeinheiten mit dem Publikum austauscht, um es durch geteilten Zynismus zur Treue und Zustimmung zu verpflichten.

Ich studierte besorgt meine rote Haut, unzufrieden mit ihrer langsamen Anpassung an paradiesische Standards und unzufrieden über meine Abhängigkeit von eben diesen. Edmond war in eine Art tropisches Brüten verfallen, aus dem er erst bei Einbruch der Dunkelheit erwachte. Er lag reglos in der Sonne, meist neben dem Handtuch, ein Buch in Reichweite. Alle halbe Stunde stand er auf, stürzte sich ins Meer, tauchte, schwamm, kehrte zurück, küßte mich, legte seine kalte, nasse Hand auf meinen heißen Bauch, panierte sich mit Sand zum Schutz gegen die Sonne und schloß die Augen.

Wenn wir ins Hotel zurückkehrten, wartete er nicht ab, daß ich die Tür aufschloß: Er begann meinen Badeanzug von den Schultern herabzustreifen, meinen hellbraunen Nacken mit den Lippen zu erkunden, bis ich vom Kitzeln schwach in die Knie sank und ihm half, seine Badehose auszuziehen. Auf dem kühlen Steinboden scheuerte unsere sandige Haut wie Schmirgelpapier aufeinander. Es war, als würde sie so zart, daß die Gefühle durchschienen und sich im mißverständnisfreien Raum aneinander weideten, bis uns das Lachen fast erstickte. Am Abend waren wir so hungrig, daß der Kellner unser Brotkörbchen zweimal füllen mußte, bevor er die Vorspeisen brachte. Wir aßen Fisch und frittierte Bananen, Calalou und Schildkrötenragout. Meine Zöpfchen waren voller Sand, beim Schlafen störten mich die Perlen und Schnüre, und meine Kopfhaut spannte. Ich konnte mich dennoch nicht entschließen, sie zu lösen, weil sie mich mit Edmond verbanden. (*Kindisch*, kommentierte der Buddha.) Zurück in der Kälte würde ich meine Haare wieder offen tragen, zum Zeichen der Trauer.

Nach ein paar Tagen war das Nichtstun an die Stelle der Arbeit getreten, d. h., es war *organisiert*, als wäre es Arbeit. Die tägliche Dusche, die ausgiebige Pflege der sonnenverbrannten Haut, das Packen und Aufhängen der Strandhabseligkeiten und die Mahlzeiten gaben den Tagen eine Kontur, und das Gefühl der Hilflosigkeit wich, das man gegenüber der Amöbenhaftigkeit der nicht festgelegten Zeit empfindet. An einem Sonntagmorgen, schlaflos von dem seit dem ersten Sonnenstrahl andauernden, meckernden Hahnengeschrei des gegenüberliegenden Hühnerhofs, flüsterte der Buddha in mein geplagtes Ohr, indem er ein Zöpfchen zur Seite schob: Ich schenke dir ein Kapitel. *Dein* Kapitel.

Ein geschenktes Kapitel

Lange habe ich für sein Angebot keine Verwendung gehabt – zumal mir sein Spott nicht entgangen war. Der Buddha machte sich lustig über mich und meine Unfähigkeit, zwischen Büchern und wahrem Leben zu unterscheiden (*seine* Diagnose). *Du füllst die Seiten und siehst die schönen des Lebens nicht*, sinnierte er mit schmatzenden Lippen.

Jetzt also halte ich sein Geschenk im Schoß, wie den *Laptop*, auf dem ich schreibe, und wie irgendwann einmal das noch nicht geborene Kind. Ein regelrechter Schoßhund, den ich wiege und herze, bis es vom Bildschirm vertraut zurücklächelt.

Mein Kapitel – was tun damit? Gegenrede ist einfacher. Es ist, als müsse man bei Abwesenheit von Gefahr Mut beweisen. Ich könnte über den Schluß nachdenken oder über mein Kind. Ende der Tragzeit. Aber meine Vorstellungskraft versagt schon jetzt angesichts des Opportunismus, der bei glücklichem Ausgang der Dinge eintreten wird. In dem Augenblick, in dem das Kind geboren sein wird, werden sich meine Vorstellung von ihm und die Wirklichkeit decken: eine Kapitulation der Phantasie. Mit dem Ende des Buches wird es mir ähnlich gehen – hier würde normalerweise der Buddha etwas einwerfen; jetzt, wo es fehlt, fühle ich mich merkwürdig schwerelos, desorientiert. Was könnte der Buddha einwenden? Anstatt meine Freiheit zu genießen, male ich mir die Einschränkung aus. Klassisch.

Wie sublim vom Buddha, mir meine eigene Bloßstellung zu überlassen. Andererseits – ist es blamabel für Weiß, erst verstanden zu werden, wenn sich auch Schwarz sehen läßt? Die Erfindung des Gegenteils stellt eine Rücksicht auf unsere Wahrnehmungsschwäche dar, kein Grund, sich zu schämen. Die Menschheit wäre längst ausgestorben, gäbe es nicht die Notwendigkeit, sich mittels eines Widersachers Gewißheit über sich selbst zu verschaffen. Das einzig fruchtbare Prinzip. (Und wieder schaue ich über die Schulter, aber kein Grübchen vertieft sich lächelnd oder wird flach vor Grimm.)

Mein Kapitel ist noch nicht einmal zwei Seiten lang – zu wenig für ein Kapitel. *Ein Roman ist ein Prosatext mit mehr als zweihundert Seiten*, sagte ein Mann vom Fach. Und eine Liebesgeschichte? Wie lang ist die? Und ein Kapitel? Ich traue mich nicht, nach zwei Seiten zu sagen: Das Kapitel ist fertig. Also ist ein Kapitel wahrscheinlich mindestens drei Seiten lang. Wie altmodisch. Auch den Buddha zu brauchen, ist altmodisch. Ist es auch altmodisch, daß jedes Kind einen Vater hat? Andererseits könnte dieser Roman durch einen winzigen

Bedienungsfehler meinerseits ins Nichts verschwinden, gelöscht werden auf Nimmerwiedersehen, *amnesia totale*. Ist das nicht modern?

Kontraste auf engstem Raum, wie damals in der Karibik. Sonnenschein und Regen so dicht beieinander, daß der eine Fuß naß wurde, während der andere sich sonnte. Lausige Gedankenverbindung. Der Buddha fehlt, der Kantiges besänftigt und Löchriges flickt. Seite 3. Immerhin. Wer hätte gedacht, daß Luft und Spucke ... Besser nicht.

Vielleicht gehört in *mein* Kapitel eine schlüssige Begründung, warum ich schreibe. Nein, warum *man* schreibt. Nicht, um mir das Herz auszuschütten, dafür gibt es meine Freundin, die mit dem Kind, das sich den Zahn ausgeschlagen hat und mir im Traum erschien. Mein kleiner Prophet. Ich weiche ab. Ich weiche aus.

Man schreibt aus denselben Gründen, aus denen man liest: aus Wissensdurst und Liebeshunger; und es ist einzigartig an einem Buch und an der erfundenen Welt, die es enthält, daß es eine Sehnsucht stillt, die durch es selbst mitentsteht. Unordnung stiften, verlorenes Territorium zurückgewinnen: Blühender Sinn und ausschweifender Verstand – für all das gewährt das Papier Raum.

Nicht aus Rache schreibt man: Zu denken geben erfolgt nicht mittels Denkzettel. Schade um das Wort, es wäre ein gutes Wort für das Schreiben von Büchern, leider ist es schon vergeben; durch irgendeinen traurigen Prozeß, der denken und vernichten gleichsetzt, aus dem Verkehr gezogen. Es gibt keine aufregenden Erklärungen, dafür darf man den Leser am allerwenigsten verantwortlich machen. Schockiert und beschimpft badet er ein Dilemma aus, dessen schuldlosester Verursacher er ist. Man kann mit der Sprache hadern, daß sie diese Form des öffentlichen Nachdenkens desavouiert, manipuliert, sabotiert. Das herauszufinden ist kein großes Verdienst und auch kein Dienst am Leser, wie mancher missionarisch beseelte Skeptiker glauben machen will. Man schreibt – aus der Liebe zum Handeln, zum Eingreifen?

Geschenk: Ich muß es nicht wissen, auch in meinem Kapitel nicht; ich muß es nur können.

Blitzlicht

Drei Tage vor unserer Abreise wurden wir beide krank. Ein Magen- Darm-Infekt schwächte uns so, daß wir anderthalb Tage lang nur matt nebeneinander im Bett lagen, wenn wir nicht gerade auf allen vieren ins Bad krochen. Edmond nahm sehr schnell ab, er sah fahl aus und entrückt. Ich tastete nach seiner Hand, er überließ sie mir kraftlos. Ich legte sie über meine Augen, daß es dunkel würde und tröstlich. Aber das grelle Licht drang durch Haut und Knochen und ließ kein Träumen zu. Ich krümmte mich unter Krämpfen um meine eigene Achse. *Jamaica no problem* klebte an meinem Körper, traurig verschwitzt wie die Fahne eines untergegangenen Staates. Erst einen Tag vor unserem Rückflug fühlten wir uns stark genug, aufzustehen und frühstücken zu gehen. Wir saßen einander gegenüber, braun und blaß, löffelten Tee und aßen trockenes Brot, das schmeckte wie Asche. Hahnengeschrei und Ziegengemecker klangen melancholisch. Ich liebkoste die helle Stelle an Edmonds Arm, wo seine Uhr fehlte. *Wo ist sie?* fragte ich. *Ich habe sie weggeworfen*, antwortete Edmond, und der Buddha sagte, nach dreitägiger, pietätvoller Pause: *Umsonst, mein Freund.*

Es gibt einen schönen Film, *Les jeux sont faits*, nach einem Drehbuch von Sartre, in dem sich ein Mann und eine Frau erst nach ihrem Tod kennen- und liebenlernen. Beim Schlangestehen zur Eintragung ins große Buch der zur Ewigkeit Hinübergewechselten. Die buchführende Dame – keine deutsche Beamtin – erbarmt sich und schenkt ihnen vierundzwanzig Stunden, während derer sie sich ausschließlich ihrer Liebe widmen sollen. Bei bestandener Bewährungsprobe dürfen sie ins Leben zurückkehren. Dazu kommt es natürlich nicht; wie beim Roulette können auch sie ihre Chancen nach getätigtem Einsatz nicht mehr verbessern. Der Mann kehrt zu der kommunistischen Arbeiterbewegung, deren wichtigster Exponent er war, zurück, um seinen eigenen Tod zu rächen, der, wie er postum erfährt, durch ein Attentat eintrat. Die Frau, einem Giftanschlag ihres Mannes zum Opfer gefallen, der sich mit ihrer jüngeren Schwester ungestörter verlustieren wollte, ganz in dekadent-bourgeoiser Manier, widersteht ihrerseits der Versuchung nicht, ihre Schwester zu retten. Die Uhr läuft ab, und in einem letzten Tango, Wange an Wange, tanzen sie in das Totenreich zurück. Es ist das Paris der Lebenden, nur daß die Toten der vorangegangenen Jahrhunderte füreinander sichtbar sind und deutlich langsamer promenieren als die Zeitgenossen.

Es ist ein verlockender Film, weil er die Ursachen für das Scheitern in völlig unspekulativer Weise als Tatsachen präsentiert: Klassengegensätze, die über den Tod hinaus weiterwirken, indem sie Lebensweisen hervorrufen, die selbst bei Überschneidung nicht zu echter Berührung führen. Die Trauer darüber macht die Poesie des Films aus. Dergleichen Erklärungsmodelle, die gewissermaßen die hinter den Ideologien verborgenen, »richtigen« Menschen schützen, sind leider ausgelaufen. Abgekratzt wie eine Schicht aus Patina: Darunter kamen unheroische Einzelkämpfer ohne Berufung zum Vorschein wie Edmond und ich, deren Zuneigung – da unwidersprochen, von keinem vorgegebenen Konflikt geformt, tragikfrei – konturlos und vage bleiben muß. Unbegründbar, im Gelingen wie im Scheitern, und daher außerstande, Anteilnahme zu erregen. Elend – ganz wie die pathetische Szenerie der zwei von Durchfall erschöpften Paradiesvögel, deren Farbenpracht so flüchtig war wie ein Regenbogen.

Wir gingen ein letztes Mal schwimmen, die Wassertropfen in Edmonds Haaren funkelten hämisch in der Sonne, triumphierend, während sie in meinem mittlerweile glatten (ich hatte die Zöpfchen gelöst, als wir krank wurden) Haar schmucklos abglitten. Ich fühlte mich schwer von Kummer.

Kummer – bereits um das Wort auszusprechen, muß man ihn haben. Ein Mundvoll Trauer, das *u* sitzt tief im Hals und das *m* entsteht nur bei geschlossenen Lippen; eine Höhle, in der das Schluchzen hängenbleibt.

Wenn andere Leute Liebeskummer haben, kritisierte der

Buddha näselnd, *laufen sie hängenden Kopfes durch die Straßen, essen doppelte Portionen (oder halbe) und rufen ihre Mutter an. Du betreibst phonetische Grundlagenforschung – und erwartest Anteilnahme?* Wir froren, als wir aus dem Wasser kamen. Edmond rieb mich mit seinem Handtuch trocken, seine Miene zeigte mehr samariterhafte Sorge um mein Wohlbefinden als erotisches Interesse an der längst vertrauten Haut. Er strich mit dem Finger über meinen Nasenrücken, wie er es vor langer Zeit einmal in Paris getan hatte. Ich lächelte oder tat so. Ein böiger Wind fegte Sand in meine Augen, sie tränten. Edmond gab der Ziege einen Abschiedsklaps, als sie meckernd, wie jeden Abend, über unseren Weg lief. Er grüßte mit erhobener Hand die Kokosmilchverkäufer, die vor ihrer Bude standen und Domino spielten. Bester Laune. Die Sonne brach grellweiß unter einer schwarzen Regenwolke hervor, so daß die Strahlen wie die fünf Finger einer geöffneten Hand nach unten wiesen. Es erinnerte mich an das Auferstehungslicht in Renaissancedarstellungen der Himmelfahrt. Ein Sportflugzeug drehte niedrig Kreise am Himmel, eine Reklameschrift für Schmerztabletten flatterte hinter ihm her und wurde je nach Windrichtung lesbar oder kryptisch: *Take it easy, you've got Dolor-ex.*

leit

Wir lasen beide während des Rückflugs. Edmond in dem mittlerweile völlig verfleckten, ölig-sandigen Exemplar von Cortazars Roman *Himmel und Hölle* (hatte er es von Elise geliehen?) und ich Djuna Barnes' *Nachtgewächs*. Ich blätterte die Seiten mechanisch um, denn das fortwährende, frohlockende und vor Schadenfreude raschelnde Gewisper des Buddhas machte es mir in Wirklichkeit unmöglich, der Handlung zu folgen.

Wer kann schon von sich sagen, daß alles im Paradies aufgehört hätte? lästerte er. Und reimte: *Verschossen, in Blei gegossen, verflossen . . .*

Es folgten einige Ausflüge in die *Soziologie des Paares in der Wohlstandsgesellschaft* und anderes Halbgegorenes. Ich hatte den Buddha noch nie so geschwätzig wie im Moment der Krise erlebt. Das Ende schien ihn zu beflügeln – wie jeden Autor.

Ich stöpselte mir die Kopfhörer in die Ohren, um ihn nicht mehr hören zu müssen. Auf der Leinwand küßte Kathleen Turner einen gutaussehenden blonden Footballspieler, dessen Nackenumfang durchaus buddhagleiche Dimensionen erreichte. Ich stellte Radiomusik ein, und die fehlende Übereinstimmung von Bild und Ton wirkte irgendwie tröstlich. Die beiden umarmten sich auf einem amerikanischen *king size*-Bett, dazu erklang Radiowerbung für eine Kreditkarte, die im zackigen Auktionston vorgetragen wurde. Kathleen Turner, so geschickt in ein Laken eingehüllt, daß man außer ihren rasierten Achselhöhlen nichts sah, zündete sich eine Zigarette an und blies den Rauch ihrem Liebhaber ins Gesicht. Seine Augen blieben geschlossen, Paul Simon sang *Graceland*. Scheinbar verärgert stand Kathleen Turner auf und ging – immer noch mit Laken – ins Bad. Jetzt rauchte der Mann. Alles ähnelte dem gesteuerten Ablauf eines Experiments im Labor, ich sah zu und verstand die Reaktionen nicht. Verbindung und Trennung: mysteriös, willkürlich und gesetzmäßig. Pas de deux, Ballett der Liebe. Früher, als ich französisch nur sehr mangelhaft beherrschte, dachte ich immer, der Ausdruck bedeute: nicht zwei. *Wie wahr Fehler sein können*, kicherte der Buddha. *In allen Sprachen, einschließlich des Mittelhochdeutschen, gibt's nichts mehr zu retten. Wie man's macht, ist's verkehrt. Die Rückseite der Liebe ist dran.*

Ich schaltete das Radio lauter, schloß die Augen und fühlte, daß Edmond mich ansah. Er berührte mich nicht. Als wir in New York ankamen, wurde mir bewußt, daß ich zum ersten Mal in meinem Leben vergessen hatte, vor der Landung Angst zu haben.

Wir standen an dem sich krümmenden und ächzenden Koffertransportband und starrten in den dunklen Schlund, durch den unser Gepäck kommen würde. Als würde es uns aus dem Paradies nachgeworfen, um die Vertreibung vollständig und endgültig zu machen. Wie anachronistisch die Sommersachen, Salz- und Sandflecken sich plötzlich ausnahmen, lächerlich hoffnungsvoll, optimistisch, bunt. Edmonds Tasche trudelte uns entgegen. Er nahm sie und wandte sich mir zu. Sein braunes Gesicht war vor Anstrengung blaß, als er sagte: *Ich glaube, wir müssen uns ein wenig erholen. Ich rufe dich in ein paar Tagen an.* Er öffnete die Tasche, holte eine scheußliche Baseballkappe heraus, die er mit dem Schild nach hinten aufsetzte. Er tippte sich mit dem Zeigefinger wie ein Taxichauffeur an den Rand. *Mach's gut.*

Er ging. Die Tränen brachen aus mir hervor, als hätten sie auf der Lauer gelegen und könnten keine Sekunde länger riskieren, den günstigen Moment zu verpassen. Ich hatte kein Taschentuch und sah durch den dichten Schleier nur noch verschwommen unförmige Gepäckstücke Kreise drehen. Ich gab den Tränen mit der gleichen Resignation nach, die man bei einem plötzlichen Regenguß dem Naßwerden entgegenbringt. Ich stand einfach da und nahm hin, daß meine Augen die Abwesenheit Edmonds nicht verkrafteten. Jemand berührte meine Schulter. Der Größe nach ein Mann, erriet ich, der mir etwas reichte. Ein Papiertaschentuch. Ich tupfte meinen nassen Hals ab, da ich keinen Wert auf klare Sicht legte. Wahrscheinlich hatte meine Tasche schon viele Runden gedreht, bevor ich sie endlich aufnahm. Ich ging mit leerem Herzen durch den Ausgang, reihte mich in die Schlange der Wartenden am Taxistand.

Die Kälte tat gut. Sie fror die alten Tränen an meiner Haut fest. Mein einziger Gedanke war, daß ich sie nicht abwaschen würde. Im Taxi wimmelte ich den redseligen und des Englischen kaum mächtigen Fahrer mit der Ausrede ab, daß ich es nicht spräche. Er versuchte es auf Ungarisch und Russisch, ich zuckte bedauernd mit den Schultern. Er legte eine Kassette ein. Ein Mann und eine Frau hatten einen Wortwechsel (auf Ungarisch), der von eingeblendeten Lachsalven des Publikums unterbrochen wurde. Mein Fahrer war auch sehr amüsiert und legte sich mit dem ganzen Oberkörper auf das Lenkrad, weil ihn das Lachen so beutelte. Um so besser, dachte ich und rutschte tief in die ausgesessenen Polster des Chevrolets: Edmond lag auf dem Steinboden unter mir, seine Hände griffen nach meinen Oberschenkeln, er zog sich vor Lust hoch, seine Lippen geöffnet, ließ sich aufstöhnend wieder fallen. Seine Augen, jetzt offen, verrieten den Aufruhr. (*Sch, sch* machte der Buddha.)

Wie ein Schlafwandler ging ich an den *doormen* vorbei zum Aufzug, fuhr in den 25. Stock, hörte die Nachrichten auf dem Anrufbeantworter ab, packte aus, räumte ein, duschte mich, aß vor dem Fernseher.

Der Schmerz war wie eine Narkose. Sie hielt an, bis ich, eine Woche später, im Flugzeug nach München saß. Edmond hatte nicht angerufen. Edmond war spurlos verschwunden. Unterwegs war er in mein Leben getreten, unterwegs hatte er es wieder verlassen. *Liep und leit.* Wie ein geflochtener Zopf ineinander verschränkt. Vielleicht hatte ich meine Zöpfe einfach zu früh gelöst. *Die Rückseite ist dran*, hatte der Buddha gesagt, der es nur natürlich fand, daß alles, genau wie ein Buch, einmal ein Ende hat.

Edmond. Sein Name war mein einziger Halt, ich trug ihn auf der Zunge, er füllte meinen Mund. Sieben Stunden saß ich regungslos im meist dunklen Flugzeug und ließ seinen Namen in mir klingen. Wie Echo würde ich mit jedem erneuten, sehnsüchtigen Ausruf ein wenig schwinden, ein wenig an Substanz verlieren. Der Sehnsucht Platz machen, bis nur noch der Laut ihres Namens in der Luft nachwehte wie der nostalgische Duft einer ausgestorbenen Pflanze.

Ich brauchte nur zu warten.

Sprung

Das Licht im Gebärzimmer ist schummrig, der Bildschirm meines Computers flimmert, sorgt für bläuli-
chen Widerschein im Gesicht der Hebamme, die sich zu
mir neigt. *Ja, es geht noch*, nicke ich.

Edmond hat mir eine Weihnachtskarte geschickt, ein
Bild liegt ihr bei. Elise ist noch immer sehr schön, ihr
Haar hat nichts von seinem Glanz verloren. Sie hält das
kleinere Kind auf dem Schoß, Louise steht links hinter
ihr, ihre Hand auf der Schulter der Mutter. Sie lächelt
nicht, wahrscheinlich der Zahnspange wegen, die sie
wie alle amerikanischen Teenager trägt. Der Sohn,
rechts von Elise, gleicht Edmond, dieselben Augen
und Lippen. Edmonds Haar ist sehr schütter geworden, er schaut lächelnd und zuversichtlich in die Ka-
mera. Er schreibt: *Mach's gut.*

Ja, erwidere ich und schreie vor Schmerz. Die Hebamme und der Arzt halten mich fest, ich will aufsprin-
gen, als hinge ich nicht an den tausend Schnüren, die
mich mit dem Kind, dem Monitor, dem Computer –
dem Leben verbinden. Ich beiße auf Eiswürfel, zer-
malme sie, schneide mir die Zunge blutig.

Ein Schrei. Die Zeilen auf dem Computerbildschirm

und die Kurven auf dem Wehenschreiber erstarren, es wird dunkel. Einundzwanzig Stunden nach der ersten Wehe kommt mein Sohn auf die Welt.

Er gleicht niemandem.